KU-421-267

UN FRANÇAIS EN VIRGINIE

AVEC UNE INTRODUCTION
ET DES NOTES
par
GILBERT CHINARD

aux Editions Ampelos :

Collection Mémoire :

« Restera-t-il seulement un Noë », P. Vinard
« Je ne changerai pas », Samuel de Pechels
Souvenirs d'un enfant du siècle, L. Olivès

Collection Histoire :

Histoire des Protestants de Crest, E. Arnaud
« Je suis celui que vous cherchez », D. Benoît
Les Vaudois du Dauphiné, E. Arnaud
Les Refugiés Huguenots, Ch. Weiss (Tomes I et II)
De Père en Fils, B. Appy
Les Protestants du Dauphiné, E. Arnaud
Forcez les d'entrer ! Françoise Appy

ISBN : **978-2-35618-021-6**

UN FRANÇAIS EN VIRGINIE

VOYAGES D'UN FRANÇOIS
Exilé pour la Religion

AVEC UNE DESCRIPTION DE LA VIRGINIE & MARILAN DANS L'AMÉRIQUE
D'après l'édition originale de 1687

AVEC UNE INTRODUCTION
ET DES NOTES
par
GILBERT CHINARD
Professeur à l'Université Johns Hopkins

www.editionsampelos.com

Note de l'Editeur

Cette nouvelle édition de l'ouvrage publié en 1687 par l'auteur, Durand du Dauphiné, et republié et annoté par Gilbert Chinard en 1932, a été enrichi d'illustrations tirées des ouvrages de Beverley et Théodore de Bry et sur les voyages au Nouveau Monde au XVIème et XVIIème siécles. Nous avons conservé la graphie originale en ne corrigeant que les erreurs manifestes et en harmonisant l'orthographe de certains mots et noms propres pour simplifier la compréhension. Des améliorations typographiques (notes de bas de page, titres, etc..) ont aussi été apportées pour permettre une lecture plus facile de ce document intéressant qui illustre une page émouvante de l'histoire européenne.

INTRODUCTION

L'ouvrage dont on trouvera plus loin la reproduction intégrale est aujourd'hui fort rare et n'a jamais fait l'objet d'une étude spéciale. Il mérite cependant, à des titres divers, de retenir l'attention. Il constitue tout d'abord un témoignage de première main sur les mesures prises contre les Protestants, dans les provinces du Midi, à la suite de la Révocation de l'Édit de Nantes et, à ce titre seul, il mériterait d'être tiré de l'oubli. On y trouvera un récit sans apprêt et sans littérature de la fuite d'un gentilhomme du Dauphiné, les subterfuges qu'il dut employer pour quitter la France, son odyssée lamentable et parfois comique, jusqu'au moment où il put rejoindre à Londres ses frères d'exil.

Si la relation de notre auteur s'était arrêtée là, elle n'aurait qu'un intérêt certain mais limité. Il s'est trouvé cependant que, poussé par le goût des aventures, désireux de s'établir sous un climat qui lui rappellerait sa Provence natale, le gentilhomme huguenot a subi l'attirance du mirage américain. Il a traversé l'Océan ; à pied, à cheval, en canot, il a parcouru la Virginie, exploré les estuaires de la baie de Chesapeake, puis, revenu de ses courses lointaines, il a voulu faire part aux réfugiés de Hollande et d'Angleterre des observations qu'il avait pu recueillir, des plans formés par des grands propriétaires de la Virginie pour les recevoir. Aussi, jugea-t-il à propos de publier dès son retour, dans des circonstances que nous déterminerons mieux plus loin, un récit naïf de ses infortunes, des dangers qu'il avait courus, les renseignements qu'il avait pu recueillir et les observations qu'il avait pu faire de ses yeux. N'ayant aucune prétention littéraire, ne cherchant point à être complet, ne décrivant que les parties du pays qu'il a vues, notre auteur ne peut se comparer à Robert Beverley qui, vingt ans plus tard, devait donner une *Histoire de la Virginie* d'une toute autre importance. Il n'en reste pas moins que le voyageur français a tracé un tableau des plus pittoresques et des plus vivants de la vie d'une colonie anglaise à la fin du dix-septième siècle. Au lecteur français, il apportera un précieux document sur les mœurs de ces colons anglais pour qui, cent ans plus tard, la France devait se déclarer. Au lecteur américain et aux curieux de psychologie internationale, il permettra d'étudier l'état d'esprit d'un Européen et d'un Français moyen de la fin du dix-septième siècle, placé brusquement en contact avec cette civilisation naissante. Sans être tout à fait la première des études en français sur les colonies anglaises, la *Description de la Virginie*, publiée à La Haye en 1687, nous aide à comprendre comment est née et comment s'est propagée, au dix-huitième siècle, chez les exilés huguenots, puis chez les philosophes et enfin dans le grand public, cette image d'une terre promise transatlantique, que la Providence avait comblée de ses faveurs et semblait avoir réservée pour en faire le « dernier asile de la liberté » [1]

[1] *Les voyages d'un Français exilé* ont été utilisés par Ch. -W. Baird dans son *History of the Huguenot Emigration in America*, New-York, 1885, 2 vol. Plus récemment une traduction partielle a été publiée sous le titre de *A Frenchman in Virginia. Being the Memoirs of a Huguenot Refugee in* 1686. Translated by a "Virginian". Privately printed 1923. La plupart des historiens de la Virginie semblent avoir cependant ignoré l'ouvrage devenu très rare aussi bien en France qu'en Amérique. Le savant auteur de l'étude intitulée *Economic History of Virginia in the Seventeenth Century*, New-York, 1896, 2 vol. M. Philip Alexander Bruce, ne mentionne pas notre relation. Je lui ai consacré quelques pages dans un livre sur *Les Réfugiés Huguenots en Amérique*, Paris, 1925 ; mais une étude plus approfondie et les renseignements obligeamment communiqués par l'érudit « Virginian » m'ont conduit à modifier sur bien des points les conclusions auxquelles j'avais cru pouvoir arriver alors.

I

DURAND DE DAUPHINÉ

D'après l'achevé d'imprimer, c'est le 7 juillet 1687 que parut à La Haye la relation ayant pour titre :

VOYAGES D'UN FRANÇOIS
Exilé pour la Religion
Avec Une Description de la
VIRGINE & MARILAN
DANS L'AMÉRIQUE.

Les seuls renseignements précis que nous possédions sur l'auteur sont contenus dans son épître liminaire. Il appartenait, nous dit-il, à la noble famille des Durand de Dauphiné ; mais on ne peut l'identifier avec aucun des membres de la famille dont l'histoire nous soit connue[2].

Selon Baird, dont l'hypothèse semble fort probable, il aurait été « frère » de René de Durand, petit gentilhomme établi près de Die, en Dauphiné, à vingt lieues environ à l'est de La Voulte, qui avait élevé un temple sur ses terres, et qui, après avoir vu ses biens confisqués et ses maisons rasées, se

[2] Haag, dans *La France Protestante*, indique en effet comme chef de la famille au début du XVIIe siècle Claude Durand, qui eut quatre fils : Jacques, Paul, Jean et Salomon. Jacques eut deux fils, Paul, seigneur de Pontaujard, lieutenant-général de la sénéchaussée de Valentinois, et Philippe, sieur de Saint-Romain. De Paul naquirent deux fils, César et David. Jean eut un fils, Pierre, avocat à Grenoble, qui se retira en Brandebourg en 1687, et devint juge à Wesel. Salomon eut deux fils, Jacques, sieur de la Garde, qui « semble s'être retiré en Angleterre », et Antoine, avocat, qui quitta la France à la Révocation pour une destination inconnue. On trouve enfin un Jacques de Durand qui fut ministre à Bristol en 1715.

réfugia en Suisse au moment de la Révocation[3]. Comme René de Durand lui-même ne nous est guère connu que par notre auteur à qui Baird a emprunté la plus grande partie de ces renseignements, notre information reste fort incomplète.

Figure 1:La Drôme à Die

Durand de Dauphiné — nous lui laisserons ce nom — était, de sont propre aveu, d'humeur aventureuse, et comme ce n'était pas là « la moindre de ses passions dans sa jeunesse », nous pouvons supposer sans lui faire injure qu'il fut probablement une assez mauvaise tête. Il avait parcouru la France et l'Italie, et en 1655, à la tête d'une bande de vingt-cinq à trente jeunes gens, il alla se joindre aux Vaudois, réfugiés dans les vallées du Piémont à la suite de l'expédition dirigée contre eux par le duc de Savoie. Ayant pris goût à la guerre, il fit « quelques autres campagnes » jusqu'au jour où, assagi par les épreuves, il se retira en Provence, où il avait acquis quelque bien. Il pendit son épée au croc et s'apprêtait à terminer en paix une vie aventureuse et plusieurs fois troublée par des aventures d'amour, car ceux qui le

[3] C. W. Baird, *Histoire des Réfugiés Huguenots en Amérique*, Traduction française, Toulouse, 1886, p. 363.

connaissaient, imputaient, nous dit-il, « le plus grand défaut qu'ils ayent connu en moi à un amour un peu déréglé pour le sexe ». On ne comptera pas sans doute pour un défaut son goût pour le bon vin et la bonne chère, et son horreur de l'eau et des « méchantes » nourritures auxquelles il fut plus d'une fois réduit.

Veuf, ayant marié sa fille à un capitaine de l'armée royale, doué d'un embonpoint confortable, Durand espérait passer en paix les derniers jours de sa vie dans sa bastide provençale, servi par un valet, un « petit garçon », et une cuisinière savante, en louant le Seigneur de lui avoir épargné tout souci pressant. La Révocation allait mettre fin à ce rêve plus bourgeois que noble. D'abord, Durand avait pu croire que la Provence serait épargnée, car on n'y comptait qu'un petit nombre de Protestants. En octobre 1685, il fallut cependant se rendre à l'évidence. Les troupes royales sont annoncées, et le 18, Durand se décide à prendre la fuite. Il fait seller trois chevaux et, accompagné d'un valet et de son « petit garçon », quitte sa chère demeure, au moment même où il voit descendre de la montagne les premiers dragons drapés dans leurs longs manteaux jaunes. L'odyssée du réfugié allait commencer.

II

L'ÉVASION

A regret, il s'éloigne après avoir vu passer devant lui les douze compagnies dont le régiment était composé, navré d'apprendre des soldats eux-mêmes que dans la plupart des villages les Huguenots n'avaient offert aucune résistance. Le 25, il arrive à Marseille et y passe trois mois, se cachant dans des magasins le jour et logeant la nuit dans « les endroits les plus reculés ». C'est alors qu'il apprend la destruction de ses terres, le pillage de sa maison, la conversion de sa fille et de la plupart de ses amis ; il voit passer dans les rues de Marseille, la tête rasée et les fers aux pieds, les jeunes Protestants condamnés aux galères. Le roi lui commandait de ne point quitter le royaume, mais Dieu lui ordonnait de tout tenter pour sortir de l'affreuse « Babylone » qu'était devenue la France. Il ne lui restait plus, seul, âgé, mais non résigné, qu'à prendre la route de l'exil. Feignant d'être un catholique désirant aller à Rome pour accomplir un vœu, il obtient passage pour l'Italie et débarque à Livourne le 25 janvier 1686, accompagné de son valet et de son « garçon ».

Là, il se met immédiatement en campagne pour se rendre en Angleterre, passant huit à neuf jours à explorer la ville, admirant les calèches remplies de gentilshommes et de dames magnifiquement vêtues, venant de Pise et de Lucques pour assister aux fêtes du Carnaval. Chose qui pourra sembler étrange, ce fut grâce à un moine espagnol qui n'ignorait rien de son état, qu'il obtint passage à prix réduit sur un navire anglais « qui venoit d'Antioche et alloit à Londres ». Durand fut agréablement surpris de trouver tant d'humanité chez un homme couvert d'un froc qui, non seulement avait gardé le souvenir reconnaissant de l'accueil que lui avaient fait autrefois les Protestants du Midi, mais encore déclarait qu'à Rome beaucoup de bonnes âmes regrettaient de voir traiter les huguenots avec tant de rigueur. Ce ne sera pas la seule fois que Durand recevra les bons offices de catholiques et qu'il rendra hommage à leur humanité.

Il est humain lui-même, sans aucune sensiblerie et, à son tour, il vient en aide à une pauvre femme du Languedoc qui, pour rester fidèle à sa religion, abandonnait une petite rente viagère, son unique ressource, et avait décidé, seule et sans appui, de tenter le voyage d'Angleterre et de Hollande. Il lui cède sa cabine, consent à se dire marié avec elle et obtient pour elle un passage gratuit. Autour de lui des amis se révèlent et l'un des marchands anglais dont il avait fait connaissance à Livourne lui fait le don précieux de quarante bouteilles de muscat de Florence. Tant il est vrai que « Dieu suscite des amis et des consolations, suivant les promesses qu'il nous a fait dans l'Évangile ».

Durand n'était cependant pas au bout de ses épreuves. Parti de Livourne le 6 février, il ne devait débarquer en Angleterre que près de deux mois plus tard. Le seul épisode agréable de la traversée fut une courte escale au port de Malaga. A voir les cavaliers vêtus de noir, drapés dans de longs manteaux, de longues épées leur battant les jambes, ayant sur la tête des chapeaux « de deux pieds de bords », les dames enveloppées dans leurs manteaux de soie noire qui leur « couvrent toute la tête et les corps jusqu'aux talons », dissimulant leur visage derrière leur mantille si bien qu'on ne leur voit qu'un œil, Durand oublie presque ses malheurs. En sa qualité de protestant, il s'intéresse peu aux églises espagnoles, mais il apprécie justement à Malaga « ce bon vin d'Espagne, blanc et claret tant renommé dans toute l'Europe et même dans l'Amérique ».

Pirates turcs rencontrés en face de Tanger, tempête effroyable qui, au moment même où l'on voit la terre, rejette le vaisseau vers la haute mer, pendant qu'une partie de la cargaison mal arrimée bat contre les parois des cabines, débauche d'un jeune lord anglais qui revenait de Rome et avait fait trop amples provisions de vin claret, maladie de la pauvre demoiselle du Languedoc que Durand avait recueillie, tout cela est raconté dans le simple style de la conversation, sans apprêt, sans pittoresque, mais non sans charme naïf.

Le dernier jour de mars, Durand débarque enfin à Gravesend et, laissant derrière lui ses compagnons assez mal en point, il se dirige vers Londres en toute hâte.

Ignorant de la langue, ne sachant où s'adresser, il « roule » dans la ville au point qu'il pense « crever de lassitude » avant de trouver une chambre où il puisse amener ses malades. Mais il oublie toutes ses peines quand, deux jours plus tard, « qui étoit un dimanche », après être entré dans plusieurs églises anglaises, il découvre enfin le temple français de Londres où il a le bonheur de pénétrer « avant le premier prêche ». L'exilé a trouvé le « refuge », il peut se joindre à ses frères, adresser à l'Eternel « ses très humbles actions de grâce pour son heureuse arrivée dans ces fortunées contrées où l'on prêche la vérité sans aucun trouble ni empêchement ».

Ce récit des événements qui conduisirent Durand à Londres est d'autant plus précieux que les témoignages directs et personnels sur le grand exode des Protestants sont des plus rares. Plus encore par son intérêt humain que par son intérêt historique, cette première partie de la narration de Durand mérite de retenir l'attention. Jusqu'ici, cependant, sa destinée n'avait pas différé sensiblement de celle de milliers de huguenots qui, pendant les années précédant la Révocation, avaient, aux prix de dangers sans nombre, abandonné les champs paternels. La plupart d'entre eux, comme nous le savons par maintes études, s'établirent dans les pays où ils avaient trouvé asile et protection ; mais quelques-uns dont l'histoire est moins connue, au moins en France, tentèrent des aventures lointaines, franchirent les mers et allèrent porter la contribution de la race française à des nations de pionniers. Sur les difficultés qu'ils durent vaincre, les perplexités qui les agitaient, les sollicitations dont ils furent l'objet de la part de compagnies d'émigration, nous sommes encore assez mal renseignés. A ce titre, le petit livre de Durand peut être considéré comme un document unique.

III

LE MIRAGE AMÉRICAIN

Plus fortuné et plus prévoyant que beaucoup de ses coreligionnaires, Durand avait pu se préparer à l'exil et se munir de quelques fonds. Sans inquiétude sur son avenir prochain, à même de venir en aide à la pauvre veuve du Languedoc qu'il continuait à faire passer pour sa femme, pour éviter les racontars et les suppositions malveillantes, il aurait pu s'établir à Londres, acheter quelques livres, essayer de se refaire une vie nouvelle, et passer ses dernières années sinon dans la joie et l'abondance, au moins dans un confort relatif. Mais, dans le climat brumeux et pluvieux de l'Angleterre, dans « l'air humide et grossier » de Londres, le Dauphinois, habitué à l'air pur et subtil des montagnes et au ciel « clair et bien serein » du Midi de la France, ne pouvait respirer librement. La vue de ce pays nouveau, la traversée, qu'au total il avait bien supportée malgré son âge, avaient réveillé en lui le goût de l'aventure et des courses lointaines.

Déjà sur le bateau, il avait eu entre les mains quelques ouvrages sur les colonies anglaises d'Amérique vers lesquelles, depuis près de cinquante ans, s'était dirigé un mince filet d'émigration huguenote. Puisque la Provence lui était interdite, au moins chercherait-il à s'établir dans un pays où le sol, le climat et les productions lui permettraient de se rapprocher de son idéal de vie.

Il avait quelque argent, il était accompagné d'un valet solide et bon travailleur, la pauvre veuve lui promettait de tenir son ménage, elle savait élever les vers à soie. Dans ces régions, qui étaient représentées comme une nouvelle Chanaan, la vie serait douce et facile ; aussi avant même de débarquer à

Londres, l'imagination de Durand s'était-elle enflammée, et était-il déjà « tout entêté de ce pays là ».

Il y aurait une étude des plus curieuses à faire sur la littérature de l'émigration huguenote et sur la propagande entreprise pour décider les réfugiés à quitter l'Europe pour aller s'établir par delà les mers. J'ai déjà signalé ailleurs quelques-uns de ces ouvrages ; on en retrouverait sans aucun doute beaucoup d'autres[4]. Le cas de Durand est un exemple frappant de l'action exercée par cette propagande. Son arrivée à Londres coïncidait avec un nouvel effort de la Caroline pour attirer dans la colonie des réfugiés « habiles à produire des soies, des huiles et du vin », « skilled in ye manufacture of silkes, oyles, wines »[5]. Le pasteur Rochefort, en 1681, avait ajouté à son *Histoire Naturelle et Morale des Iles Antilles*, un supplément de 43 pages intitulé : *Récit de l'Estat présent des célèbres colonies de la Virginie de Marie Land et de la Caroline.* Dès 1684, on avait publié en français un *Brief récit de la Province de Pensylvanie*, dû à William Penn. Beaucoup d'émigrants, isolés ou en groupe, s'étaient déjà dirigés vers les colonies du Sud et les propriétaires avaient encouragé à venir s'établir sur leurs terres des colons dont la valeur morale était incontestable et qui, à cause de leur origine même, avaient quelques connaissances sur les cultures qui pouvaient être introduites dans ces pays au climat si différent de celui de l'Angleterre.

Cette propagande qui, d'ailleurs, se poursuivit pendant plusieurs décades et dont on trouve des traces évidentes dans le premier tiers du dix-huitième siècle, ne produisit pas tous

---

[4] *Les Réfugiés huguenots en Amérique*, Paris, « Les Belles-Lettres », 1925. Voir en particulier le chapitre IV : « La publicité et la propagande de l'émigration ». A consulter également Charles Weiss, *History of the French Protestant Refugees*, Edinburgh and London, 1854. L' édition anglaise est plus complète que l'édition originale en français du même ouvrage.

[5] Voir Arthur Henry Hirsch, *The Huguenots of Colonial South*, Duke University Press, 1928. M. Hirsch malheureusement a traité de façon succincte la préparation à l'émigration.

les résultats qu'on en aurait pu attendre. Les réfugiés français, tout d'abord, refusèrent de croire que les mesures prises contre eux étaient définitives. Un nouveau roi, une politique plus libérale leur permettraient peut-être un jour de retourner dans leur pays. Beaucoup, sans doute, partageaient l'espoir de M. du Bourdieu, le vieux pasteur de Montauban qui, bien qu'il eût « septente ans, ne prétendait pas de mourir qu'il n'eût encore prêché à Montpellier ». Mais Durand ne demandait plus avis que pour la forme. A peine quelques semaines s'étaient-elles écoulées, qu'il ne pensait plus qu'à s'équiper pour le départ. Il fit marché avec un capitaine pour vingt écus par tête, plus vingt « eschelins », pour avoir deux méchants lits pour ses malades et un petit coin pour mettre son matelas dans un coin de la grande chambre. Quant à la nourriture, il valait mieux n'en point parler : de la mauvaise soupe de pois, du bœuf salé alternant avec la plus mauvaise morue qu'on pût trouver, pour toute boisson, de l'eau. Il fallut dépenser plus de trente pistoles pour acheter quelques provisions de bouche. Si l'on se souvient que Durand était arrivé à Londres à la fin de mars et qu'il n'y passa qu'environ six semaines, nous sommes donc à peu près à la fin du mois de mai de l'année 1686. Notre voyageur ne devait débarquer en Amérique que le 22 septembre. Il lui fallut bien près de quatre mois pour traverser l'Océan

IV

VERS LA TERRE PROMISE

En arrivant à bord, Durand eut une première surprise désagréable. Il avait compté faire la traversée avec un groupe de six réfugiés dont plusieurs parlaient anglais. Au dernier moment, ceux-ci avaient refusé de s'embarquer pour profiter des collectes faites depuis le mois d'avril en faveur des huguenots. A son grand désespoir, Durand, pour ne point perdre le prix du passage, payé d'avance, dut se résigner à faire le voyage sans autres compatriotes que ses pauvres malades. Les passagers de langue anglaise étaient de qualité plus que douteuse. Quelques historiens des colonies anglaises se sont efforcés de démontrer que les déportations systématiques de femmes de mauvaise vie et de criminels furent fort rares. Il est certain que les gouverneurs comme les propriétaires s'efforcèrent, officiellement au moins, de prévenir l'importation en groupe de ces colons peu désirables. Mais il n'en faut pas moins constater que le système des « engagés » se prêtait à des abus évidents. En s'engageant à servir comme ouvriers agricoles ou domestiques pendant un certain nombre d'années, les pauvres gens, incapables de payer leur passage, étaient transportés gratuitement. Bien des mauvais sujets, hommes ou femmes, profitaient de cette occasion pour quitter l'Angleterre et la police de la métropole ne mettait pas beaucoup de zèle à empêcher leur départ. Vivant dans la promiscuité de la « cabine » ou chambre commune, embarqués quelquefois contre leur volonté, en proie aux horreurs d'un premier voyage et peu certain de jamais atteindre l'autre rive, ces malheureux étaient loin de se conduire comme des « ladies » et des « gentlemen ». Selon Durand, sur soixante passagers, il n'y avait pas moins de

« quinze jeunes garnemens, qui étaient tout ce qu'il y avoit d'effronté et d'insolent en Angleterre », et douze prostituées qui devaient être « vendues » par le capitaine à leur arrivée en Caroline. On pourra voir dans le récit de Durand quelle fut leur conduite pendant la traversée.

Par contre, en plus des cinq ou six honnêtes colons qui passaient avec leur famille, Durand eut la joie de rencontrer à bord un personnage assez mystérieux, M. Ysné, « homme de 32 ou 33 ans, très bien fait de corps et d'esprit, et qui parloit fort bon françois ». Il devait le retrouver plus tard.

Bien qu'ayant embarqué ses passagers à Gravesend, le navire qui transportait Durand ne devait quitter l'Angleterre que quatre semaines plus tard. Les vents s'opposaient à la sortie de la Manche et le capitaine décida, en fin de compte, d'attendre à Falmouth que leur régime fut établi. Durand en profita pour débarquer la malheureuse Languedocienne et son valet, espérant qu'à la terre ils pourraient se rétablir et se guérir de la fièvre continuelle qui les minait. A peine débarqués, il leur fallut regagner le vaisseau en hâte, et l'on mit enfin à la voile, faisant route vers le Nord, pour atteindre la côte de la Nouvelle-Angleterre et, de là, redescendre vers la Caroline en suivant la côte.

Dix semaines après le départ de Londres, la « malheureuse Damoiselle » qu'avait recueillie Durand expira. Trois jours plus tard, ce fut le tour du « garçon » qu'il avait amené avec lui de France. Les provisions s'épuisèrent et le reste du voyage fut un épouvantable cauchemar. Notre réfugié qui avait conservé sa fierté et ses préjugés de gentilhomme, avoue naïvement qu'il n'était « point fait pour travailler ». Aidé de son garçon et de sa ménagère, ayant encore quelque argent, il aurait pu faire un petit établissement. Il n'avait plus maintenant d'autre perspective que de débarquer seul, en pays inconnu, sans ressources, affaibli et abattu par ses revers successifs. Il se serait abandonné à la plus noire mélancolie si le bon M. Isné n'avait remonté son courage.

Un vaisseau venant des Barbades apporta des nouvelles qui ajoutèrent à son désespoir. La Caroline était loin d'être le paradis décrit par les agents recruteurs des propriétaires. Il n'y avait pas un acre de bonne terre en Caroline ; les colons y mouraient en masse, une épidémie avait enlevé la moitié de la population de Charleston. D'Ysné, perdant courage à son tour, décida d'abandonner son projet originel : de compagnie avec les marchands qui se trouvaient à bord, il prit passage sur le vaisseau des Barbades avec l'intention de débarquer dans le Maryland. Durand refusa de les suivre, craignant de ne trouver aucun compatriote dans cette nouvelle colonie, alors qu'il pourrait recevoir quelque assistance ou quelques conseils des colons huguenots de la Caroline. Plus isolé que jamais sur un navire que le capitaine inexpérimenté semblait incapable de diriger, poussé par le vent jusqu'au golfe de Floride, rejeté au large au moment où l'on croyait pouvoir débarquer à Charleston, n'ayant pour nourriture que du bœuf salé plus qu'à moitié pourri, manquant d'eau au point que trois ou quatre personnes moururent « faute d'une goutte », Durand tomba dans une apathie telle qu'il « regardoit avec indifférence la faim et la soif et toutes les autres misères ». Ce fut le hasard plus qu'un dessein prémédité, semble-t-il, qui dirigea le vaisseau désemparé vers la Virginie et lui fit franchir les caps qui marquent l'entrée de la Chesapeake. Le 22 septembre, on jeta l'ancre dans la baie de Mobjack à l'embouchure d'un petit fleuve appelé North River. Quand Durand, pour descendre à la terre, quitta ses habits souillés de poix et de goudron, il lui « fallut rétrécir la ceinture des hauts de chausses de seize pouces ».

V

« LA VIRGINE »

Durand, jeté par hasard et contre son gré sur la côte de Virginie, devait y rester du 22 septembre 1686 au 15 mars 1687, soit un peu plus de six mois. Il lui fallut plusieurs mois pour renoncer à son projet primitif, et pour cesser de considérer son escale involontaire comme autre chose qu'un contretemps fâcheux venant s'ajouter aux malheurs déjà subis. Ce ne fut que peu à peu, insensiblement, involontairement, qu'il se laissa gagner par les choses et par les gens, pour devenir l'apôtre convaincu de l'émigration huguenote en Virginie. Il n'avait en tête aucun plan déterminé, le pays lui était totalement inconnu, il ne comptait y retrouver aucune figure de connaissance et il semblait même ignorer que, depuis plus d'un demi-siècle, des huguenots isolés fussent venus s'établir en différents points du pays. Notre explorateur n'avait donc aucune idée préconçue ; il put observer la réalité avec des yeux tout neufs. Aussi ses observations offrent-elles des qualités de sincérité et de simplicité qui ne se rencontrent que trop rarement chez les voyageurs. Le principal mérite de Durand, à cet égard, mérite qui n'est point mince, est d'avoir composé un tableau incomplet et imparfait sans doute, mais entièrement de première main, des parties de la Virginie qu'il a visitées et seulement de celles-là. Écrivant près de vingt ans avant Robert Beverley, près de quarante ans avant le Révérend Hugh Jones, il est le témoin le plus pittoresque, sinon le plus exact, auquel nous puissions recourir pour une étude de la vie coloniale en Virginie à la fin du dix-septième siècle[6].

---

[6] *Robert Beverley, The History and Present State of Virginia*, London, 1705. Traductions françaises à Amsterdam et Paris la même année, Hugh Jones, *The Present State of Virginia*, London, 1724.

Il n'importe tout d'abord de reconstituer son itinéraire que l'on pourra facilement suivre sur la carte. Le navire qui le transportait avait été forcé de se réfugier dans la baie de Mobjack, à l'embouchure du North River. Durand, en attendant que le vaisseau fût réparé et en état de continuer le voyage, loua une chambre à quelques milles de là, chez un Français qui s'était établi à [New] Point Comfort. De New Point Comfort, il alla en bateau chez un autre Français, M. Servent, établi à Kiccotan, à l'embouchure du James River. De Kiccotan, il remonta à pied vers le Nord, en faisant six ou sept lieues par jour. Il arriva ainsi à l'embouchure du York River, sur l'emplacement même où, un peu moins de cent ans plus tard, La Fayette et Rochambeau devaient assister à la reddition de Yorktown. Il franchit le fleuve en face du petit fort qui s'élevait sur la rive opposée et de là, revint à Point Comfort, après avoir fait vingt lieues à pied.

Le 17 décembre il repartit, toujours à pied, sauf quand un planteur hospitalier mettait un cheval à sa disposition, passa le Piankatank River à Turk's Ferry et arriva à Rosegill, propriété de Ralph Wormeley, située sur le Rappahannock River où se trouvait alors le gouverneur. Il remonta ensuite le Rappahannock, traversa le fleuve et arriva à Port Tobago où Ralph Wormeley possédait une plantation. Quittant Port Tobago, après quelques jours où il eut l'occasion d'observer des « sauvages », il entra dans le comté de Stafford et se trouvait chez le colonel William Fitzhugh, à Bedford-en-Stafford, la veille de Noël. Il franchit le Potomac et, après avoir passé un jour et une nuit chez un gentilhomme du Maryland, il revint en Virginie, s'arrêta chez un juge, puis, de nouveau, à Bedford et de là regagna Point Comfort où il comptait trouver un navire qui le ramènerait en Europe. Comme il ne s'embarqua que le 15 mars, il passa donc près de deux mois et demi dans la mauvaise chambre qu'il avait louée chez un habitant, se renseignant sur le pays et recevant des colons de nombreuses offres de vente de terres.

ꟹ

Durand a consigné le résultat de ses observations dans quatre chapitres qu'il a insérés au milieu de sa relation. Nous y reviendrons plus loin. Avant d'en entreprendre le résumé, il n'est pas sans intérêt d'étudier les épisodes les plus marquants de son exploration sommaire de la Virginie. En plus du gouverneur qui était alors lord Howard of Effingham, notre réfugié eut la bonne fortune de rencontrer deux des personnages qui pouvaient compter alors comme les plus marquants de la colonie : Ralph Wormeley, propriétaire de Rosegill, et le colonel William Fitzhugh.

Sur les bords du Rappahannock, Wormeley avait construit une des plus spacieuses et une des plus élégantes maisons coloniales du dix-septième siècle, qui, après avoir été restaurée avec discrétion, est justement regardée comme un des joyaux de l'ancienne architecture coloniale. En plus de la maison principale, Rosegill comprenait plusieurs bâtiments secondaires formant un véritable « bourg », entouré d'arbres de la forêt primitive, avec une roseraie d'où la propriété tirait son nom, et bordé le long du fleuve d'un sentier où Durand fit de longues promenades en compagnie de ses amis. Les deux photographies qui accompagnent cette édition pourront donner une idée de la simplicité du style et de la magnificence de la végétation. Au rez-de-chaussée, une galerie aux extrémités de laquelle un double escalier donne accès à l'étage supérieur où se trouvaient cinq grandes chambres ; au second étage, dans une sorte d'énorme grenier plafonné, on pouvait placer jusqu'à quinze lits pour les visiteurs. La salle de réception en bas, la bibliothèque, la salle à manger avec ses panneaux d'acajou, les délicates moulures encore visibles et en bon état, les larges baies donnant sur le fleuve, tout cela, aujourd'hui encore, a fort grande allure, et il ne faut que peu d'imagination pour reconstituer tout le décor où Durand vint présenter ses respects au gouverneur lord Howard of Effingham, le 19 décembre 1686, quand « la grande horloge fort juste » qui ornait la salle sonna cinq heures, au moment même où les derniers rayons du soleil venaient frapper les vitres[7]. Wormeley, qui avait été élevé à Oxford, possédait une fort belle bibliothèque, vivait luxueusement, n'avait pas moins de vingt-six esclaves noirs et de vingt engagés travaillant sur la plantation, et pouvait offrir l'hospitalité non seulement au gouverneur, mais aux membres de son conseil et à de nombreux amis. On y mangeait solidement ; on y buvait plus solidement encore : vin blanc d'Espagne, vin claret de Portugal, cidre et bière étaient largement servis. Le souper fini, on jouait, et le jeu se prolongeait quelquefois toute la nuit. Nous sommes dans une Amérique bien différente de la Nouvelle-Angleterre et les colons du Sud n'avaient rien de l'affectation puritaine de leurs cousins du Nord.

Rosegill n'était point la seule propriété de Ralph Wormeley. Plus haut sur le Rappahannock, il possédait d'immenses terrains où il projetait d'organiser une colonie régulière et à vingt-deux lieues de Rosegill une plantation déjà prospère, Port Tobago, qu'il prit grand plaisir à montrer à Durand. C'est là aussi que Durand eut l'occasion d'observer les seuls sauvages qu'il rencontra au cours de son voyage. Assez nombreux en Virginie au seizième siècle, les Indiens, décimés par les épidémies et les guerres avec les colons, avaient été repoussés progressivement vers l'Ouest. Près de la mer, et près des fleuves où autrefois ils s'étaient établis, il ne restait plus que quelques lamentables survivants, s'abritant dans de pauvres huttes en roseaux et en terre battue. Ils n'inspiraient ni terreur ni pitié, à peine un peu de curiosité, et notre voyageur qui n'a ni l'enthousiasme ni le style de Chateaubriand n'a point reconnu en eux ces nobles enfants de la nature que les voyageurs français avaient célébrés dans leurs relations. Mais, sans quelques Indiens, même dégénérés,

---

[7] Voir page 80. Il existe de nombreux ouvrages sur les maisons coloniales de la Virginie. On pourra consulter le plus récent : Paul Wilstach, *Tidewater Virginia*. Illustrated. The Bobbs-Merrill Company, 1929.

son tableau n'aurait point été complet et il faut au moins noter leur présence en passant.

De Port Tobago, comme nous l'avons vu, Durand se rendit sur les bords du Potomac et visita la plantation que possédait le colonel William Fitzhugh, à Bedford. Bien que la compagnie comprît vingt cavaliers, le colonel était si bien logé que « cela ne lui fit nulle peine ». Après le souper accompagné de bon vin et de toutes sortes de boissons, Durand assista à un de ces divertissements que les riches planteurs aimaient à donner à leurs hôtes. On fit venir trois violons, un bouffon et un acrobate et, devant l'énorme cheminée où l'on n'avait pas mis moins d'une charette de bois, toute la compagnie « prit tout le plaisir que l'on pouvait souhaiter ».

Ces petits tableaux de la vie coloniale qui abondent dans la relation de Durand devraient suffire à lui assurer une place à part parmi les annalistes de la « vieille Virginie », car on ne rencontre que bien rarement cette note personnelle, ces choses vues, dans les documents ou même dans les correspondances qui permettent de reconstituer cette vie coloniale qui, encore aujourd'hui, évoque un nostalgique regret chez tout bon Virginien. Plus haut en couleur encore est le tableau tracé par Durand d'un mariage auquel il assista. Un brave garçon, originaire d'Abbeville, après avoir servi comme engagé et avoir fait quelques économies, épousait une jeune fille du pays. Les livres de raison publiés dans les recueils d'archives confirment l'exactitude de Durand. Mais quelle sèche énumération des quantités de boisson et de « viandes » pourraient produire une impression aussi vive que ce récit de deux pages, dans lesquelles le sobre Provençal dissimule mal son étonnement et presque son effroi devant les étranges et foudroyantes concoctions auxquelles on donnait le nom de « ponch » !

De tous les personnages rencontrés en Virginie par Durand, le plus curieux est probablement milord Parker qui, à vrai dire, était une vieille connaissance. Ce n'était autre que le jeune Anglais qui s'était embarqué à Douvres sous le nom de M. Ysné et qui, dès son arrivée dans la colonie, fut reconnu comme appartenant à une noble famille anglaise. Ayant repris son nom, s'étant vite acquis l'amitié et la protection du gouverneur, de Ralph Wormeley et du colonel Fitzhugh, le jeune homme, qui s'était modestement donné comme l'agent de marchands de Londres, faisait belle figure au milieu des gentilshommes virginiens . Son changement de fortune et d'état ne lui avait point fait oublier le pauvre Dauphinois avec qui il avait eu de si longues conversations au cours du voyage. C'était « milord » Parker qui avait invité Durand à venir le rejoindre à Rosegill et qui l'avait présenté à Ralph Wormeley, à William Fitzhugh et aux gentilshommes du pays, et ce fut en sa compagnie qu'il fit le voyage de Bedford et de Maryland. C'est ici que se place l'épisode le plus romanesque, nous pourrions presque dire déjà le plus romantique, de la relation de Durand. Un soir de décembre, mais par un beau temps clair, se promenant mélancoliquement le long du chemin qui bordait le Rappahannock, Parker fit à Durand la longue confession des erreurs qui l'avaient conduit à changer de nom et à tenter la fortune dans une colonie lointaine. Étant en Provence, il avait rencontré, quelques années auparavant une beauté fatale dont l'amant, désespéré de ne pouvoir obtenir la main, venait d'entrer à la Trappe. Le jeune Anglais rencontra moins d'obstacles et, sans plus de façons, la belle Provençale accepta de se laisser entretenir par lui. La dame qui avait les dents longues et des goûts de luxe trôna, en compagnie de sa mère, dans l'hôtel que lui avait offert, à Lyon, le noble étranger. Mais la province ne pouvait longtemps suffire à Mlle de la Garenne, et l'intéressant trio se transporta bientôt à Paris. En quelques mois, les derniers vestiges de la fortune de lord Parker eurent disparu ; les deux amants, les larmes aux yeux, décidèrent donc de se séparer pour permettre au jeune Anglais de se procurer les ressources nécessaires aux exigences de la belle. Il partit pour la Virginie, laissant à Mlle de la Garenne les quarante louis qui tintaient encore au fond de sa bourse, non sans qu'elle ne lui eût juré « de se reléguer dans un cloître le reste de ses jours » plutôt que de donner son amour à un autre. Malgré ses lettres pleines de protestations passionnées, l'infidèle n'avait cependant pas tenu parole. Avant même de partir pour l'Amérique, l'amant infortuné avait appris que « l'archevêque de Paris, s'en étant rendu amoureux, l'entretenait sur un pied magnifique ». Avec une abnégation ou une lâcheté dignes d'un chevalier des Grieux, milord Parker se consolait en pensant qu'avec quarante pistoles elle « fût finalement tombée dans la nécessité » et que ce bon prélat est « si charitable qu'il ne la laissera jamais manquer de rien ».

C'est sur cette note curieuse que se termine le récit de lord Parker. On voit quel profit l'abbé Prévost aurait pu en tirer, et combien il aurait su rendre touchante cette petite aventurière qui peut, à juste titre, être considérée comme une sœur aînée de Manon Lescaut. Malgré le style gauche et schématique de Durand, l'histoire a une telle tournure littéraire que, tout d'abord, on hésite à la croire authentique. Aussi, ai-je été tenté autrefois de n'y voir qu'un embellissement destiné à soutenir l'intérêt du récit et en même temps à flatter l'anticatholicisme des lecteurs huguenots [8]. Si l'on se souvient cependant, qu'au moment où écrivait Durand, l'archevêque de Paris n'était autre que le fameux Harlay de Champvallon, dont les amours avec Mme de Lesdiguières et les passades étaient connues de toute la cour, l'histoire de Mlle de la Garenne devient au moins vraisemblable. Ce « bon prélat » à qui, selon Mme de Grignan, on ne pouvait guère reprocher que « sa vie et sa mort » était fort capable d'entretenir plus magnifiquement que secrètement la jeune Provençale[9].

---

[8] *Les Réfugiés huguenots en Amérique*, Paris, 1925, p. 70.

[9] Sur Harlay de Champvallon (1625-1695), nommé archevêque de Paris en 1671, voir Saint-Simon, II, 349-354, éd. Boislisle, 1879. On pourra consulter également l'article de M. Georges Goyau, dans la *Catholic Encyclopedia*, où se trouve cité le jugement du Père Armand Jean, selon

D'autre part, lord Parker[10] a véritablement existé. A vrai dire, il n'était qu'un simple baronnet et non un lord, mais tout noble anglais était un « milord » pour un Français du dix-septième siècle. Né dans le Sussex, en 1655, il aurait bien eu environ « 32 ou 33 ans » en 1686. Comme les propriétés sur lesquelles il résidait en Angleterre étaient voisines de celles de lord Howard of Effingham, on s'explique facilement que sa véritable identité ait été découverte par un serviteur de Son Excellence. Il semble extraordinaire que Durand ait raconté et publié sans plus de façon les confidences qu'il avait reçues sur les bords du Rappahannock et n'ait point cherché au moins à changer le nom du jeune Anglais. Peut-être aurait-il éprouvé plus de scrupules, s'il s'était agi d'un coreligionnaire ; mais Parker était catholique, et l'occasion était trop belle pour ne pas égratigner en passant un prélat pour lequel un protestant exilé ne pouvait éprouver nulle tendresse. Aussi doit-on peut-être simplement conclure qu'une fois de plus, la vie a devancé la littérature. Le jeune Anglais, qui promène sa mélancolie sur le bord d'un fleuve américain, et ne peut oublier l'infidèle qu'il n'a point le courage de haïr, fait invinciblement penser sinon à Chateaubriand au moins à l'abbé Prévost ; dans ce personnage authentique se distinguent déjà quelques-uns des traits qui devaient plus tard émouvoir tant de sensibilités romantiques.

---

lequel « si l'attitude de l'archevêque à l'Assemblée de Clergé fut répréhensible, il ne fut pas moins à blâmer dans sa vie privée ». Enfin, on ne saurait oublier la page où, d'après Saint-Simon, Maurice Barrès a montré Harlay de Champvallon et Mme de Lesdiguières se promenant dans le jardin de Conflans, tandis que « des jardiniers les suivaient à distance pour effacer leurs pas avec des râteaux » (*Du Sang, de la Volupté et de la Mort*).

[10] L'éditeur du *Frenchman in Virginia* pense qu'il s'agit de Sir Robert Parker, baronnet (1655-1691) de Ratton dans le Sussex et cite à ce propos : Bruke, *Extinct Baroneicies* et G .E.C., *Complete Baronetage*

VI

PROPAGANDE ET COLONISATION

Ce n'était cependant ni pour s'attendrir, ni pour se divertir que Durand avait renoncé au voyage de la Caroline. Dès son arrivée, il avait été poursuivi par des propriétaires offrant de vendre des terrains. Peut-être lord Parker luit-même, bien qu'il fût catholique, n'était-il pas resté étranger aux plans qui étaient alors formés pour attirer en Virginie des colons industrieux, de haute moralité, qui auraient apporté avec eux les arts et les métiers que les « engagés » étaient incapables d'exercer et que les aristocrates virginiens auraient considérés comme indignes de leur naissance.

D'autre part, Durand était arrivé à un moment où suivant le *Cohabitation Act* de 1680, un effort énergique était fait par les autorités de la colonie pour grouper les habitants en « towns », pour faciliter l'échange des produits et le développement des « manufactures ». Nombreuses furent les « villes » pour qui des emplacements furent réservés, des noms trouvés, des plans dressés et qui n'existèrent jamais que sur le papier. De grands propriétaires comme Ralph Wormeley et William Fitzhugh ne pouvaient se désintéresser de ces projets.

Dès 1680, un acte avait autorisé la création d'une « ville » dans le Middlesex, à l'ouest de la plantation sur laquelle vivait Ralph Wormeley. Cette ville reçut le nom d'Urbanna en 1705 et existe encore aujourd'hui[11].

Mais le plus entreprenant de ces promoteurs était certainement le colonel William Fitzhugh. Au début de 1686,

---

[11] William Waller Hening, *Virginia Statutes at Large*, Richmond, 1812, vol. I, p. 473.

il avait fait enregistrer dans le comté de Stafford un énorme terrain de 21.996 acres, qui, plus tard, reçut le nom de Ravensworth. Par un document curieux publié dans les *Landmarks of Old Prince William*[12], il invita les protestants français à venir s'y établir. Cent cinquante ou deux cents familles pourraient facilement y trouver place, et le prix était des plus modérés : sept livres sterling pour 100 acres, ou, si l'on préférait, un fermage de vingt shillings par an pour la même étendue. Fitzhugh s'engageait de plus à leur fournir à prix réduit de la viande et du maïs pendant la première année, et de leur vendre tout ce dont ils auraient besoin. Il terminait par une considération qui ne pouvait laisser indifférents des protestants du Midi : s'il s'adressait à eux de préférence, c'est qu'il savait que ces terrains étaient particulièrement propres à la culture de la vigne. On peut croire que l'entreprenant colonel ne manqua pas l'occasion de « faire de la réclame » auprès de Durand et de lui vanter tous les avantages que les protestants français ne pourraient manquer de trouver dans le comté de Stafford.

Ce n'était pas là le seul projet auquel s'intéressât Fitzhugh. Un de ses amis les plus chers, Samuel Hayward, frère de Nicholas Hayward « notaire public on the Virginia walk of the Exchange à Londres », songeait de son côté à établir une colonie de réfugiés français près de Bedford. Le 10 janvier 1686, après de longues négociations, il réussit à former une compagnie composée de Richard Foote, Robert Bristow et George Brent de Woodstock pour fonder une ville, qui fut autorisée par édit royal en date du 10 février. La nouvelle « town » devait porter le nom de Brenton ou Brent Town et promesse était faite que les habitants pourraient y « exercer pleinement leur religion sans être inquiétés ni molestés »[13].

---

[12] *Landmarks of Old Prince William. A Study in Northern Virginia*, Richmond. The Old Dominion Press, 2 vols, privately printed. Voir vol. I, p. 188.

[13] La correspondance de William Fitzhugh a été publiée dans le *Virginia Magazine of History and Biography*, nouvelle série, vols. I, II, III, etc., années

Il est plus que probable que c'est un de ces associés qui vint trouver Durand dans le comté de Stafford. Cette hypothèse devient une certitude, si l'on se reporte au prospectus intitulé *Propositions* pour la Virginie, signé par Nicholas Hayward, représentant à Londres de la compagnie de Brenton et publié par Durand à la fin de sa relation.

Enfin, alors même que Durand ayant terminé son voyage, attendait le navire qui devait le ramener en Europe, il reçut de nombreuses offres de propriétaires ayant des terrains à vendre et mettant à sa disposition, qui deux mille acres, qui mille acres, tandis que d'autres moins fortunés cherchaient à se débarrasser de pièces de terre de sept cents, cinq cents ou quatre cents acres.

Bien qu'en quelques occasions Durand ait cru pouvoir se plaindre d'avoir été exploité par les habitants, on voit donc qu'au total et pendant la plus grande partie de son voyage, il fut pris en main par des gens qui avaient quelque intérêt à le bien traiter et à lui montrer les choses sous leur plus beau jour, ceci dit sans faire injure à l'hospitalité sincère des Virginiens du dix-septième siècle. Presque jamais il ne fut seul, on ne lui fit voir que ce qu'on voulait lui faire voir, on essaya de le convertir à la Virginie avec d'autant plus de zèle qu'au début de son séjour il pensait encore à la Caroline.

Quand il repartit, les propriétaires avaient gagné leur cause. Durand était bien décidé à vanter à ses coreligionnaires les avantages de la Virginie et à les détourner de s'établir en Caroline. Il est assez amusant de constater que, malgré le ton élogieux de sa narration, ni Nicholas Hayward ni William Fitzhugh n'en furent satisfaits, tant il est difficile de plaire à des gens qui ont des terrains à vendre ! Dès que le petit ouvrage du réfugié fut entre les mains de

---

1873 et suivantes. On trouvera la plupart des lettres se rapportant à ce projet vol. I, pp. 391 et sq.

Nicholas Hayward, il en envoya un exemplaire à son associé qui, dans une lettre datée du 1er juin 1688, répondit qu'il était absolument de l'avis de Hayward, que l'ouvrage de Durand « était médiocre, manquait de style, n'observait ni les règles de l'histoire, ni les méthodes de la description et que, même à ne le considérer que comme le journal d'un particulier, il n'en avait pas moins de défauts »[14].

Fitzhugh avait mauvaise grâce à se plaindre : incomplet et imparfait comme ouvrage historique, la relation de Durand était, en réalité, admirablement faite pour attirer l'attention des réfugiés français vers la Virginie. C'était avant tout un livre de propagande et de publicité et c'est à ce titre qu'il faut le juger.

[14] « I thank your kindness in Mr. Durand's book, and must agree with you as well as I can understand it, that its a most weak impolite piece, having neither the Rules of History nor method of description and taking it only as a private Gentleman's Journal, 'tis as barren and defective there too ». *Virginia Magazine,* January, 1895, vol. II, p. 270.

VII

LA NOUVELLE CHANAAN

Durand était trop honnête pour vouloir tromper ses coreligionnaires de propos délibéré. Il n'a rien dissimulé des horreurs de la traversée, du manque de scrupules des capitaines qui transportaient les émigrants, de la rapacité de certains habitants du comté de Glocester qui, pauvres eux-mêmes, étaient durs aux étrangers. Mais ces réserves faites, il n'en a pas moins décrit la Virginie, comme une terre promise, un pays de cocagne et une véritable utopie. Tenant à donner aux Français exilés pour la religion des renseignements circonstanciés, Durand a consacré trois chapitres à sa description proprement dite, bien que de nombreuses indications pratiques soient éparses dans le cours de la narration.

Il est à peine besoin de faire remarquer combien est rudimentaire sa connaissance de la géographie et de relever la phrase curieuse dans laquelle il semble dire que le Pérou est juste de l'autre côté des montagnes de Virginie. Il ne faut lui demander de parler que de ce qu'il a vu, non point de toute la Virginie, mais de cette région arrosée par quatre grands fleuves où l'effet de la marée se fait sentir loin dans les terres, « tidewater Virginia ». C'était là la région la plus fertile et la plus riche, celle où s'étaient établis les grands propriétaires qui formaient une aristocratie coloniale. Là, les hivers étaient moins longs et moins rudes, et quand le vent cessait de souffler, ressemblaient aux printemps de France. Le pays est si bon et si fertile que, pour peu qu'on y ait cinquante acres de terre, deux valets et une servante, on n'a rien à faire qu'à « se promener les uns chez les autres », à chasser et à jouir des dons de la Providence. Les habitants sont si « fainéants » qu'ils font tout venir d'Angleterre et qu'il n'y a pas une femme qui sache filer ; aussi peut-on croire que des Français, accoutumés à travailler dur pour payer les impositions dont le roi les a chargés, ne manqueront pas d'y faire une fortune rapide.

Dans son enthousiasme, Durand renie même sa Provence natale dont les montagnes offrent une « perspective hideuse », et ne présentent que « des pierres, des rochers, et une terre stérile destituée de bois et de verdure ». La Virginie, au contraire, est comme un beau verger coupé d'agréables ruisseaux, de beaux herbages, de champs d'une fertilité prodigieuse qu'il n'est même point besoin de labourer.

Dans ce décor d'idylle, les heureux Virginiens se sont construit des maisons sinon très belles, au moins très confortables. Les forêts sont remplies de gibier de toutes sortes, le bétail erre en liberté dans les prairies, des troupes de canards et d'oies sauvages s'abattent sur les étangs et un admirable petit oiseau, pas plus gros qu'une mouche, dont le plumage est de la couleur de l'arc-en-ciel vient humer le suc des fleurs dans les jardins. Enfin, si les arbres fruitiers poussent avec une rapidité extraordinaire, la vigne couvre des arpents entiers de terrains et des Français qui sauraient l'émonder et la tailler ne pourraient manquer d'en tirer grand profit.

Durand, pour conclure, ne trouve pas moins de cinq considérations qui lui font préférer la Virginie à la Caroline et quatre qui lui paraissent affirmer la supériorité de cette colonie sur les colonies du Nord. Mais, entre toutes les régions de la Virginie qu'il a visitées, nulle ne peut rivaliser avec les provinces de Rappahannock et de Stafford. Agrément, santé et fertilité s'y trouvent réunis. Comme ce pays est composé de plaines et de collines, on peut y avoir à la fois de beaux pâturages et des vignes, car le « le vin n'est jamais bien naturel dans les plaines ». Il suffit d'y voyager pour s'apercevoir que les habitants y ont « plus d'embonpoint qu'ailleurs » et qu'ils ont « un teint vif et animé », ce que Durand attribue à la « salure » que les fleuves conservent à cause du reflux.

Dans ces conclusions aucune restriction ne subsiste, toutes les ombres ont disparu du tableau, la Virginie apparaît toute baignée d'une lumière d'idylle, elle est devenue la Terre Promise des Français exilés pour la religion. Si nombreux que soient les réfugiés à Londres, et bien qu'il en arrive « 200 tous les jours », même en admettant que tous les Protestants qui, pour rester en France, ont abjuré la religion se repentent de leur faiblesse et rejoignent leurs frères, il y a de la terre pour tout le monde. Les maisons ne coûtent rien à bâtir que quelques clous ; pour trente ou quarante pistoles on peut acheter cent acres des meilleurs champs, et si l'on n'a point d'argent et que l'on soit forcé d'emprunter, on paiera ses dettes avec la première récolte de tabac. Vision prestigieuse bien faite pour séduire de pauvres gens qui venaient de subir mille épreuves et dont la vie à Londres était des plus précaires !

On peut se demander pourquoi Durand n'est point resté dans ce pays de délices et a préféré braver une fois encore les périls de la mer pour retourner à Londres où ne l'attendaient ni amis ni parents. Les raisons qu'il nous donne sont des plus valables et nous permettent de pénétrer plus avant dans la psychologie des réfugiés. Si attrayante que fût la Virginie, les Français ne s'y étaient encore fixés qu'en très petit nombre. Vivre parmi des gens de langue étrangère et surtout renoncer à entendre le service du Seigneur en français était pour Durand une perspective insupportable. De plus, avant de s'embarquer, il avait acheté un exemplaire d'un petit livre dans lequel M. Jurieu, le grand ministre des réfugiés, promettait le rétablissement du culte en France pour l'année 1689. Durand ne voulait point mourir sans avoir été témoin « du rétablissement de la religion dans sa patrie, comme il l'avait été de sa désolation et de sa ruine ». Cette dernière considération nous permet de comprendre pourquoi la relation de la « Virginie et Marilan » ne détermina point une orientation nouvelle dans l'émigration huguenote. Malgré tous les efforts des agents recruteurs, malgré les promesses de Nicholas Hayward données à la fin de l'ouvrage, malgré l'affirmation de Durand que l'on pouvait ajouter foi aux déclarations de la compagnie de Brenton et de M. Wormeley, les réfugiés de Londres et de Hollande ne pouvaient d'un seul coup renoncer à tout espoir de revenir au pays natal. Ils avaient quitté la France en hâte, comme on fuit pour échapper à un cataclysme ; mais ils hésitaient encore à trop s'éloigner. Ils n'avaient pu rompre d'un seul coup les liens ancestraux qui les attachaient à un coin de terre française, leurs regards se tournaient encore vers les champs paternels et les foyers détruits. Leurs espoirs étaient entretenus par la parole de leur ministre et seuls les plus aventureux consentaient à traverser les mers. La Nouvelle-Angleterre les reçut en assez grand nombre ; quelques émigrants isolés passèrent en Virginie, de petits groupes continuèrent à se diriger vers la Caroline. Il faudra attendre la fin du dix-septième siècle pour que les réfugiés acceptent l'exil comme définitif et songent à bâtir d'autres foyers par delà les mers, dans cette Virginie qui les appelait et que Durand avait peint sous des couleurs si attrayantes. Il ne semble pas qu'il ait jamais pu se joindre à eux. Au moment où il écrivait son voyage, il se sentait bien vieux et bien affaibli. Son vœu le plus cher, si Dieu lui faisait la grâce de lui rendre un peu de ses forces, était de retourner parmi les honnêtes gens qui lui avaient fait si bon accueil. Mais sa relation, on le sent, était comme une sorte de testament dans lequel il léguait « aux fidèles François qui se sont tirés de la captivité de Babilon », la vision et la promesse d'une nouvelle patrie où eux et leurs enfants pourraient maintenir leur religion et retrouver le bonheur perdu.

IX CONCLUSION

Tels sont les aspects essentiels de ce curieux document qui se rattache à la fois à notre histoire et à l'histoire coloniale de l'Amérique. Les lecteurs épris de style raffiné n'y trouveront point leur profit, car Durand, comme l'avait remarqué le colonel William Fitzhugh, offrait au public « a most weak impolite piece ». On n'y rencontrera pas davantage ces renseignements précis et ces chiffres qui abondent dans les vieilles archives et où les chercheurs vont puiser des matériaux précieux pour l'histoire économique. Durand ne s'est même point préoccupé de décrire la forme de gouvernement qui existait alors dans la vieille colonie : s'il nous parle en passant de la justice, c'est pour nous dire que les membres du Conseil arrivaient à cheval et bottés chez le gouverneur et délibéraient l'épée au côté. Par contre, on y trouvera, et sans beaucoup chercher, le portrait d'un homme qui, sans plus de façon que Montaigne, avoue ses faiblesses, ses espoirs, et tout à trac nous sort son paquet. Il aime le vin et la bonne chère, il aime les paysages riants et ne trouve aucune beauté à ces tempêtes et à ces rochers dont seront éprises les imaginations romantiques. Il ne se serait point fait attacher au mât du vaisseau pour voir les vagues déferler sur le pont, comme le fera Chateaubriand cent ans plus tard. Mais ces limites une fois admises, il faut s'empresser de reconnaître qu'il est loin de manquer de mérite. Il a écrit comme il parlait, avec des provincialismes, des phrases mal construites ou inachevées où, à profusion, sont semées les expressions savoureuses qui sentent leur terroir et dont le naturel repose de productions trop travaillées et trop apprêtées. Son récit a quelque chose de droit et de franc qui ne se rencontre que trop rarement dans les relations de voyageurs. Surtout, il faut l'admirer de n'être point aigri et révolté, de ne point se répandre en imprécations violentes, de songer aux autres plus qu'à lui-même et de mettre en Dieu et dans les prophéties de M. Jurieu une confiance naïve et une foi profonde.

Étant Français, et de plus méridional, il est éminemment sociable, aussi s'est-il attaché à peindre avec un soin particulier la vie de société, à Malaga comme dans le nouveau monde. Il y a quelques années, M. Philip Alexander Bruce regrettait que l'on n'eût aucun vrai récit de voyage en Virginie au dix-septième siècle et aucune impression personnelle de la vie coloniale de cette époque[15]. Il n'aurait point exprimé ce regret s'il avait pu avoir entre les mains les *Voyages en Virgine et Marilan* du gentilhomme dauphinois. Durand a pu se tromper en quelques points, voir et décrire les choses plus belles qu'elles n'étaient, mais il reste le seul Français, et nous pouvons ajouter le seul auteur du dix-septième siècle, qui aït connu et qui ait peint d'après nature, avec un dessin maladroit de primitif et des couleurs peu variées, un tableau naïf et séduisant de cette ancienne vie coloniale dont le charme flotte encore autour des manoirs somptueux bâtis par les grands « propriétaires », au milieu des solitudes américaines et dans les clairières des forêts primitives.

Gilbert CHINARD.
Baltimore, mai 1931.

NOTE. — Imprimé hâtivement, non revu par l'auteur, le livre de Durand présente de nombreuses fautes typographiques que je n'ai pas cru nécessaire de reproduire. L'orthographe de l'auteur a cependant été respectée dans toute son incorrection et sa fantaisie : en quelques cas un accent ou un signe de ponctuation ont été introduits.

Je tiens à remercier ici le « Virginian », auteur de la traduction partielle de Durand, le savant bibliothécaire de l'État de Virginie, Mr. Henry R. McIlvaine, le directeur des publications de la *Société Historique de Virginie*, Mr. William G. Stanard, qui m'ont obligeamment aidé et conseillé, et Mr. E. Cook, photographe à Richmond, dont la collection de clichés m'a été fort précieuse.

---

[15] Dans la préface de son ouvrage intitulé *Social Life in Virginia in the Seventeenth Century*, Richmond, 1907.

VOYAGES D'UN FRANÇOIS

Exilé pour la RELIGION

AVEC

Une description de la

VIRGINE & MARILAN
dans
L'AMÉRIQUE

A LA HAYE
Imprimé pour l'Autheur, 1687

VOYAGES
D'un François exilé pour la Religion ;
Avec une description de la Virginie
& Marilan dans l'Amérique.

I
A- MESSIEURS LES FIDELES FRANCOIS

qui se sont tiré de la captivité de Babilon pour suivre la verité.

MESSIEURS,

Si les inhumanités qu'on a exercé en France contre les Protestans, n'étoient conues non seulement de toute l'Europe, mais même de tout l'univers, on imputeroit à legereté, & peut-être à folie, les voyages que j'ai entrepris dans les païs les plus éloignés, étant dans un âge déjà fort avancé, n'y étant nullement incité par le desir d'acquérir des richesses, n'ayant jamais exercé aucun Commerce, mais elles le sont si bien que je n'ai pas à faire d'en dire d'avantage. Ce n'est pas que l'envie de voyager ait été la moindre de mes passions dans ma jeunesse, mais comme mes affaires domestiques m'avoient empéché de l'exécuter dans toute son étendue, je m'étois contenté de voir toute la France & une partie de l'Italie. La seconde sortie que je fis ce fut l'année 1655. Aiant appris que ceux qui avoient échappé au massacre de ces pauvres Vaudois des vallées de Piémont s'étoient mis sous les armes, je pris 25 ou 30 jeunes gens de mon âges, qui m'élevèrent pour leur chef, & nous les allâmes joindre, & y fûmes jusques à ce que quatre envoyés de Suisse eussent fait signer la paix. Je fis ensuite quelques autres campagnes, & finalement je me retirai comme font presque tous les autres.

J'avois ainsi passé la plus grande partie de ma vie, & l'aurois terminée de la même sorte si Dieu ne m'avoit fait l'honneur de m'appeler à souffrir pour son nom.

Je suis né dans la Province de Daufiné, de la famille des Durans, famille noble et ancienne[16]. Le chef d'icelle se nomme René Durand, il a été un des premiers qui a ressenti les effets de cette cruelle persécution en ce qu'aiant il y a cinq ans veu avec beaucoup de douleur raser le Temple de son lieu sous de très légers prétextes, fit prier Dieu dans les masures, & fut pour ce sujet reservé dans l'amnistie que le Roi accorda à presque tous les autres qui y avoient assisté. Ses maisons furent abandonnées en pillage aux Soldats, & ensuite rasées, tous ses biens confisqués qui consistoient en dix mille livres de rentes ; pour lui il se sauva en Suisse comme il put. Je ne sçai s'il est encore en vie.

Quant à moi comme j'avois une partie de mon bien dans le lieu de ma naissance, & une autre partie dans la Provence, je m'y rencontrai lors que cette funeste tempête fondit sur tout notre Royaume, & comme dans cet endroit il n'y avoit que quelques Païsans partisans de la Religion, j'aurois sans doute été surpris par les Dragons si trois de mes parens de Daufiné, dont il y avoit un ministre âgé septente cinq ans, ne se fussent venus réfugier chez moi, aiant abandonné leurs maisons & leurs biens aux Soldats, & s'étant sauvés avec grand peine dans les bois, & avec une peine encore plus grande, ils vindrent à pied me trouver à vingt lieües de chez eux, par des chemins escartés . Ce fut d'eux que j'appris ces tristes & lamentables nouvelles de la ruine totale de notre Religion dans notre Province ; je commençai dès lors à préparer toutes choses pour mon départ : ils n'eurent le temps que de se reposer quelques jours, parce que dès qu'on les y sceut nous fûmes si fort menacés de par tout qu'ils furent contrains d'en partir. Ils prirent par le chemin d'Orange, où ils n'allèrent

[16] Sur la famille de Durand, voir *Introduction*, p. 3.

pas, parce que j'appris le lendemain qu'on avoit envelopé cette Principauté dans le même accablement. Pour le Pasteur il se sera servi de la liberté qu'on leur a donné par l'exil[17]. Mais pour ces généreux confesseurs je ne sçais ce qu'ils seront devenus ; je prie Dieu qu'il leur aye fait la grâce de sortir comme il me l'a faite.

Or comme Dieu a permis depuis le temps de mon évasion qui fut le 18 d'octobre 1685, jusques au septième Mai 1687, que je suis de rechef arrivé dans Londres, que j'aye vû quelques villes d'Italie, six Provinces ou Roiaumes d'Espagne, une partie de l'Angleterre, parcouru une partie des Indes Occidentales dans l'Amérique, dans lesquels voyages j'ai fait suivant les observations des Pylotes six mille huit cents lieues sur la mer, sans parler du chemin que j'ai fait sur la terre à pied & à cheval, aiant partagé le temps moitié en navigations, & l'autre partie à parcourir la terre. J'ai souffert sur cet élément, puisque Dieu l'a voulu ainsi, la faim, la soif, les périls, les naufrages, & tout ce qu'on peut endurer sans mourir, mais je me suis trouvé d'une constitution si robuste que bien que la navigation, me fut inconnue lorsque je m'embarqui à Marseille, je ni ai pas été incommodé d'un simple mal de cœur.

Mais comme il vous seroit entièrement inutile, Messieurs, que je puis bien nommer mes très chers Frères et Sœurs, dans l'estime & l'affection que j'ai pour vous tous, que je vous entretinsse de mes voyages, si je n'avois pour but que de satisfaire la curiosité de quelques uns ; au contraire, j'ai tant de connoissance de ma foiblesse, que si je n'avois que cette visée, je suis trop assuré que la rudesse de mes expressions dans un siècle aussi éclairé que le nostre, donneroit cent fois plus de dégoût que de satisfaction. Je n'ai jamais sçeu ce que c'est de période ni de rétorique ; mes parens m'avoient

---

[17] Note Ampelos : l'Edit de Fontainebleau (révocation de l'Edit de Nantes) donnait en effet aux pasteurs le « choix » entre la conversion ou l'exil.

destiné pour la guerre, & par conséquent ne m'avoient fait apprendre autre science que de lire & écrire, & bien loin qu'il y aye de l'ostententation dans mon procédé, Dieu m'est témoin que si le grand accablement où je suis réduit par tant de fatigues, de souffrances & d'afflictions, m'avoit pu permettre de faire le voiage d'Hollande & d'Allemagne, pour pouvoir vous informer de vive voix, tant de pauvres fidèles Vagabons dans toute l'Europe, d'une très favorable retraite dans le plus beau & le plus fertile païs que j'aie encore veu, je ne me serois jamais porté à cette témérité de souffrir qu'on mît au jour tant d'imperfections : mais comme ce n'est que la charité qui me fait agir, & qu'il nous est dit dans la sainte Escriture qu'elle couvre multitude de péchés, j'ai cette espérance qu'elle mettra aussi à couvert une partie de mes défauts. J'avois une fois pensé de ne mettre en lumière qu'une simple description de ce païs, comme ces imprimés qu'on a veu en France, touchant la Caroline & la Painsilvanie [18]; mais j'ai ensuite préveu que cela paroissant sans aveu, le papier souffrant tout, il pourroit avec raison être soupçonné d'infidélité, comme je suis obligé de dire en conscience que ces mêmes imprimés s'éloignent de la vérité en beaucoup de choses, ce qu'on verra dans la suite.

J'ai donc creu qu'il ne falloit pas faire parler un homme qui se rencontreroit là comme s'il étoit tombé du ciel, qu'il falloit mettre en avant les raisons qui l'ont obligé à y aller, & celles qui l'ont incité à en revenir ; & pour ce sujet j'ai trouvé à propos en passant légèrement sur mes voyages de l'Europe, comme étant des païs qui sont assez connus à une partie de ceux pour qui j'écris, de commencer depuis ma sortie. Je nomme ma famille, non par vanité, car je n'ignore pas que la bonne opinion & la vaine gloire ne soient blamables en toutes conditions, & qu'elles seroient entièrement insupportables si elles se rencontroient en celle d'un pauvre

[18] Sur la propagande de l'émigration voir G. Chinard, *Les Réfugiés huguenots en Amérique*, Paris, 1925, ch. IV.

Réfugié comme moi ; mais afin que ceux de ma Province, où elle est assez connuë, venant à lire ceci, puissent certifier aux autres qu'elle n'a pas accoutumé de produire des Imposteurs.

Estant arrivé à Londres j'ai fait rencontre d'un très honnête Ministre de nôtre Province qui m'a témoigné sur la relation que je lui ai faite de ce païs, qu'il se disposeroit à y aller, d'autant mieux disoit-il, qu'il ayant des Infidèles Dieu pourroit bien l'y appeler pour les convertir.

C'est une grâce particulière du Ciel que nos conducteurs ayant été épargnés en dépit de la fureur et de l'animosité de nos impitoyables persécuteurs, & que nos autres pauvres Réfugiés ayans pu rejoindre ces illustres bannis pour être encouragés à la persévérance, & pour être consolés de tout ce que nous avons abandonné, ce sont l'eslite des Pasteurs pour lesquels nous ne saurions avoir trop de respect et de vénération, puisque Dieu a permis que l'yvraye aye été séparée du bon grain ; ce sont des vrais Apôtres triés & choisis, les Judas ont resté dans le sein de Babilon après s'être fait connoistre par leur apostasie scandaleuse & criminelle.

Ce sera donc sous une si bonne & si sage conduite que je me dispose, si Dieu me donne assez de vie & de santé d'aller passer le reste de mes jours dans ce nouveau monde avec quelques uns de ces pauvres fugitifs. On peut ajouter une entière confiance à ce que j'en écris ; je n'ai pas plus d'intérest à parler avantageusement d'un païs que d'un autre, & outre que je fais profession d'une grande sincérité, le dessein que j'ai d'y retourner doit ôter toute sorte de soupçon. Car étant seul comme je suis, je n'appréhenderois pas de manquer de pain dans l'Europe quand je voudrois y rester ; mais c'est que je suis charmé de la beauté & de la fertilité de ce païs là. On pourroit s'ennuier en ce que j'écris de mes voyages de l'Europe aussi je les ai abrégé autant qu'il m'est possible. Je m'étends un peu davantage sur ceux de l'Amérique, & principalement en parlant de ceux que j'ai parcourus. Pour les autres dont je n'en ai veu que la terre, ou navîgé le long des côtes, je n'en dis que ce que j'en ai appris par des gens dignes de foi.

On verra dans ma fortune des effets surprenans de la providence, non que je veuille parler des assistances que je puis avoir reçû dès que j'ai été parmi les Protestants ; tout l'univers est informé que dés qu'on a pu se rendre en Suisse, en Allemagne & en Hollande, bien loin qu'il y ait manqué quelque chose aux Réfugiés on n'a pas soufert qu'ils aient dépensé aucun bien qu'ils eussent aporté de chez eux, & si en Angleterre on n'est pas allé avec ces avances, on n'y a pourtant distribué des sommes immenses. Au contraire j'en ai très peu eu ; mais d'y voir que Dieu m'ait suscité des gens de la nation la plus ennemie de la Réformation, & d'un caractere le plus animé contre notrc Rcligion pour me rendre les derniers services, qu'il ait encore inspiré de la compassion à d'autres de la même communion, afin de m'en faire recevoir mille bien-faits, c'est ce qu'on ne verra pas dans la destinées d'aucun Réfugié. Je finirai donc, mes chers Frères & Sœurs, en vous priant que sans vous arrêter aux défauts que vous rencontrerés dans ce petit Traité qui seront sans nombre, vous employés un peu de votre charité pour les couvrir, puisque si je n'avois été meu et sollicité par elle, je ne me serois jamais porté à cette témérité.

II

PREMIER VOYAGE
VOYAGE DE MARSEILLE

Il n'y avoit point encore de soldats dans cette Province on l'avoit réservée la dernière, parce qu'il n'y avoit que sept mille familles de Réformés. Je donnai l'ordre incontinent dans mon voisinage qu'on m'avertît dés qu'on apprendroit qu'il en seroit arrivé. Trois jours après le départ de ces Messieurs, qui étoit le 18 d'octobre 1685, j'appris, environ midi, qu'il en étoit entré par Tarascon ; je pars donc sur la minute, aiant pris trois chevaux & deux valets, je crus que j'avois assez de temps de me retirer à Marseille avant qu'ils eussent avancé, car je sçavois qu'il y avoit cinq ou six grands bourgs de six à sept cents habitans le chacun, où il n'y avoit presque point de Papistes, & j'y connoissois les Bourgeois riches de cent mille écus et fort afectionnés à la Religion. J'estimois donc qu'il n'y avoit aucun d'iceux qui ne gardât ce Régiment un mois avant que de se rendre ; mais je fus bien surpris le lendemain sur le tard, lors que je vîs descendre d'une petite montagne beaucoup de manteaux jaunes. Je ne doutai point alors que ce ne fût ces Dragons. Je fis donc cacher dans un valon mon équipage, car s'ils eussent vu deux chevaux chargés de meubles & d'un petit garçon de dix ans, ils auroient sans doute soubçonné la Religion & ma fuite, & ainsi il y auroit eu danger pour moi, me trouvant encore dans notre Evêché où j'avois été compté, ne doutant point que le Commendant n'en portât le rôle, & que je n'y fus des premiers, d'autant qu'il n'y avoit dans icelle que deux Gentilshommes de la Religion le reste étant tout Païsans. Pour moi je me tins au bort du chemin bien monté que j'étois & fis la meilleure contenance qu'il me fut possible, ainsi je vis passer douze Compagnies de Dragons dont ce régiment étoit composé.

Dès qu'ils eurent défilé je marchai toute la nuit pour sortir de l'Evêché, & aiant rencontré quelques soldats à pied je voulus sçavoir des nouvelles. Ils me dirent avec beaucoup de chagrin, qu'ils accompagnèrent de quelques serments, qu'ils avoient passé ce jour là deux ou trois grands Bourgs, tous remplis d'Hugenots, qui avoient témoigné si peu d'attachement pour leur Religion, que dès qu'ils entendoient leurs tambours, ils se montoient sur les épaules pour entrer dans l'Eglise, afin d'y faire leur abjuration ; que le premier qu'ils abordèrent étant entrés dans la Province, avoit voirement résisté trois jours, & qu'ils y avoient bien fait leurs affaires, mais que pour ces autres il ne leur avoit pas été permis d'y débrider un cheval n'y d'y prendre tant seulement une poule. Je fus surpris de la rapidité de ces belles conquêtes, & me trouvant hors de l' Evêché ayant appris qu'il n'y avoit plus de soldats derrière je résolus de m'aller reposer dans un d'iceux nommé Mérindel. Je trouvay ces pauvres gens dans un état lamentable, qui me fit grande compassion. Leur conscience commençoit à leur reprocher le crime qu'ils avoient commis avec tant de précipitation. J'en partis, & allai loger ensuite dans d'autres endroits où il n'y avoit aucuns Protestants. C'étoit là où l'on avoit logé tous ces Dragons à cause de la facile révolte de ces Bourgs Réformés[19]. Ils étoient si accoûtumés à la licence & aux rançonnemens, que à la réserve de battre et de matiriser, ils y avoyent exercé le même brigandage que chés les Protestans, ce qui faisoit faire à ces pauvres gens des terribles imprécations contre cette entreprise infernale. Je marchay ainsi par des routes escartées tant que finalement, je me rendis à deux lieuës de Marseille.

Ce fut le 25 d'octobre. Je me vis incontinent enveloppé par un détachement de cent ou six vingt dragons. Je creus alors que je ne pouvois pas éviter les tormens & la prison, mais je vis que bien loin de là ils me demandèrent avec civilité le

---

[19] Note Ampelos : pour plus d'informations sur la conversion des protestants provençaux, lire : Forcez les d'entrer, de F. Appy.

chemin de Marseille. Je leur montray & les laissay défiler, & appris ensuite qu'il y avoit 25 ou 30 habitans dans cette grande ville qui n'avoient point encore changé, & qu'ils alloient pour les convertir. Ainsi j'en fus quitte pour la peur.

Je sçeus aussi en y arrivant par un homme de mon voisinage qui avoit changé, que le lendemain de mon départ il étoit arrivé une compagnie de Dragons chez moy qui avoient brûlé mes Bibles & tous mes livres de dévotion, & avoient fait comme ils ont accoutumé de faire chez ceux qui se sont évadés. Je me logeay dans des endroits reculés, & me tenois le jour presque à l'ordinaire dans les magasins de ceux qui avoient été de la Religion. Ils me servoient avec beaucoup d'affection en ce qu'ils pouvoient, & ils s'employoient pour me faire trouver une occasion pour aller en Angleterre ou en Hollande ; mais ce fut inutilement. J'y avois déjà demeuré deux mois, lorsqu'il y en eut un qui me donna espérance qu'un Vaisseau anglois me porteroit. Je fis donc mettre mes meubles dans une caisse, & la fis porter dans son bort, mais trois jours après le Capitaine de ce navire me dit, que je fisse retirer ma caisse si je voulois, qu'il ne vouloit point me porter parce qu'il étoit trop menacé. Je lui dis qu'il la portât à Londres que si Dieu me faisoit la grâce d'y aller je la retrouverois, sinon qu'il en fit ce qu'il voudroit, car je vis bien que si je l'avois fait reprendre cela m'auroit découvert.

Un Valet qui m'avoit servy quatorze ans, avoit pris la position de Muletier, & ayant changé de Religion il commerçoit à Marseille sans appréhension. Je me fiois à lui, & l'ayant rencontré peu après que je fus arrivé dans la ville, je lui ordonnay de me venir voir tous les voyages qu'il y feroit. J'appris donc par lui qu'une Fille que j'avois mariée, il y avoit dix-huit mois avec un Capitaine qui commandoit le troisième bataillon du régiment de Saut avoit changé avec son mary, qu'un mien frère & toute la noblesse de notre Province, qui avoit resté avoit fait la même chose ce qui me donna un grand déplaisir ; mais il me dit aussi qui me consola un peu qu'un Gentilhomme de mon voisinage, riche de plus de douze mille livres de rente, avec quatre jeunes damoiselles sœurs fort riches & très bien faites, avoit généreusement toute quitté, & s'étoit sauvé en Suisse. Le Gentilhomme étoit germain de ma défuncte femme, et les Demoiselles étoient ses Nièces. Il m'apprit encore que quatre de mes germains ou fils de mes germains avoient fait la même chose ; que une jeune fille nommée Marguerite de Durand âgée de 17 ans, encore d'un de mes germains, s'étant habillée en garçon avoit voulu se sauver aussi & étant accompagnée de quelques hommes ils trouvèrent une embuscade au passage d'un Pont, qui voulant l'arrêter elle en tua deux, & en blessa deux autres & reçut ensuite un coup de fusil à travers le corps, & étant connue pour une fille, on la mit dans un Château voysin. Je ne sçai si elle en aura eschapé ; & finalement je fus averty que bien loin de tenir la parole qu'on donnoit dans le dernier article de l'édit du 22 d'Octobre, que ceux qui s'étoient retirés sous la bonne foy d'icelui avoient été plus maltraités que les autres jusqu'à ce qu'ils eussent abjuré. Je sçus encore que l'on condamnoit aux Galères sans miséricorde ceux qui vouloient sortir, ce qui me fut confirmé par l'arrivée de vingt-deux jeunes gens dont il y en avoit trois ou quatre de mon lieu, que je vis raser et mettre à la chaîne.

Figure 2: Galériens protestants à la chaine

Toutes ces raisons m'ont obligé de sortir du royaume ou plutôt de Babylon. Le Roy me le défendoit, voyrement sous les peines des Galères, mais Dieu me l'ordonnoit sous celles de me rendre participant de ses playes. De sorte que dans une affaire de cette importance ou il ne faisoit rien moins que de l'intérêt de mon salut, j'ay mieux aymé obéir à Dieu qu'au Roi. Il y avoit déjà trois mois que j'étois caché dans cette ville, où je faisois beaucoup de dépense y faisant toûjours fort cher vivre, de sorte que ne voyant nul moyen de pouvoir aller en droiture en Angleterre ou en Hollande, je m'en allay trouver un Patron de barque lui dis ce qu'il me feroit payer pour me porter en diligence en Italie. Il me demanda vingt pistoles que je luy promis, & comme il me falloit une patente de santé sans quoy je n'aurois été reçeû en aucune ville d'Italie, j'allay trouver un des Consuls. Je déguise mon nom, me dis être d'une ville de Provence où il n'y a jamais eu de Protestans, & feignant d'avoir fait un vœu je le pris pour aller à Rome. Moyennant cela ce patron qui se douta bien de mon dessein me sortit du port avec mon valet & mon garçon à dix heures du soir & dans quatre jours nous rendit à Ligourne[20]. Ce fut le 25 janvier 1686.

[20] Livourne ; par la suite nous rétablirons l'orthographe moderne.

III

SECONDE VOYAGE

VOYAGE DE LIVOURNE

Dès que je fus arrivé à Livourne je m'occupay à faire connoissance avec les marchands François et Anglois de la Religion, afin que par leur moyen je peusse me rendre en Angleterre, ce qui ne me fut nullement difficile ayant reçeu d'abord mille honnêtetés des uns et des autres. J'y séjournai huit à neuf jours & asseurement je ne m'y ennuyai point, Ligourne étant une très-agréable ville, les maisons sont très belles & bien bâties, les ruës fort spacieuses, & un pavé si propre qu'on y pourroit manger dessus, petite à la vérité mais elle en est bien d'autant plus forte ; car outre que la Mer l'entourne de par tout, il y a de très belles fortifications et très régulières, & on y en fait toûjours de nouvelles. Il y a deux mille hommes de garnison, outre quatre Galères que le Grand Duc y tient à l'ordinaire. Tous ceux qui ne sont pas de garde font l'exercice reglement tous les jours ouvriers dans la place d'armes, qui est la plus belle et la plus grande que j'aye encore vû. Ils ne vont point à l'épargne de la poudre comme en France en le faisant, n'y ayant point de mousquetaire qui ne tire quatre ou cinq coups. Il y a beaucoup d'endroits dans les Bastions où il est défendu d'aller, de sorte que dès que j'y suis arrivé, un jeune Seigneur François qu'on disoit être de la maison de Bétune, venant de l'armée de Venise, où il avoit servi en qualité de Volontaire la campagne, visitant les fortifications s'opiniâtra d'entrer dans le boyau d'un bastion détaché contre la défense du Sintinelle, qui appela son Caporal, & il fut maltraité par le corps de garde. Il s'en vint d'abord à la place où il fit ses plaintes au Gouverneur, lequel bien loin de luy donner, ou luy faire esperer quelque satisfaction, luy dit qu'on avoit fait que son devoir. Il mit alors l'épée à la main contre luy ; mais ayant été saisy par le corps de garde de la place, il fut mis en prison, & trois jours après on luy trancha la tête, qui fut une grande mortification pour tous les François qui étoient dans la ville. Comme nous étions dans les derniers jours du Carnaval, & qu'il y avoit de très bons Commédiens, il y arriva un Samedi vingt Carosses & autant de Calèches remplis de Gentilshommes et de Dames de Pyse et de Lucques. Je n'ay jamais veu gens si magnifiquement vétus.

Après cinq ou six jours, il y arriva un beau Vaisseau marchant Anglois qui venoit d'Antioche & alloit à Londres. Messieurs Othon Bonal & Christophre[21] Parker très honnêtes marchands Anglois, & Messieurs Mate marchands François parlèrent d'abord au Capitaine pour me porter en Angleterre & firent tant par leurs persuasions qu'ils l'obligèrent à me quitter pour la moytié du passage, de quoy ils m'avertirent incontinent après quoy je me retiray dans mon logis. Dés que j'y fus arrivé un Religieus Espagnol m'acosta & me tira dans une chambre en particulier, me dit qu'il avoit apris que j'avois quitté la France à cause de la Religion, & que j'avois dessein de passer en Angleterre, pour lequel sujet j'avois employé ces Messieurs, & me nomma en effet tous ces marchands, & continuant son discours, me dit qu'il avoit été assez long temps en France, où il avoit appris le langage ; qu'ayant eu un procès à Castres dans le temps que la chambre de Led y étoit encore, il y avoit reçeu mille civilités & honnêtetés de Messieurs de la Religion, qu'il n'avoit pas trouvé dans nôtre Royaume de plus honnêtes gens, qu'il leur avoit même des grandes obligations, & que depuis alors il les avoit toûjours beaucoup aymé, qu'il étoit en Espagne lorsqu'il aprit les tractemens qu'on nous faisoit, que non seulement luy, mais tous les gens de bien avoient été

[21] Christopher ; ici, comme en beaucoup d'autres endroits, Durand a reproduit approximativement la prononciation de mots qu'il n'avait jamais vus écrits.

touchés de nos malheurs, qu'il venoit présentement de Rome, où il avoit trouvé beaucoup de bonnes âmes qui nous regrettoient de même [22] & que pour tout il me vouloit servir de son propre sang si j'en avois besoin ; qu'il connoissoit tous les Marchands Espagnols de la ville, qu'il savoit y en avoir qui avoient des grandes habitudes avec le Capitaine qui me devoit porter, qu'il alloit s'employer envers eux, afin qu'ils me servissent, si je ne me fusse trouvé dans une ville de seurté j'eusse été surpris qu'un homme couvert d'un frok eut tant sçeu de mes affaires, ne les ayant communiqué qu'à ces Messieurs les Marchands. Néantmoins voyant qu'il me parloit avec tant de franchise & qu'il me paroissoit fort sincère, je luy avoüay ingénument mon dessein. Le lendemain j'appris par Monsieur Matte que c'étoit un fort honnête homme, & que s'étant rencontré lors qu'ils parlèrent pour moy à ce Capitaine, ils ne s'étoient point cachés de luy. Il employa donc si utilement ces Marchands Espagnols qu'ils obtinrent de ce Capitaine qu'il me rabatroit encore cette autre moytié, & m'en vint avertir. Je l'en remerciay de toute mon âme, & il témoigna d'être grandement satisfait de m'avoir rendu ce service & moy je le fus aussi beaucoup de l'avoir reçeu d'une personne de ce caractère.

Cela n'auroit pas été surprenant d'un Vaisseau Hollandois, car en nous promenant avec Monsieur Matte il il aborda un maître de navire d'Hollande qui parloit bon françois, qui dit qu'il ne partoit pas d'un mois, mais que si je voulois l'atendre il me porteroit pour rien & en éfet il y en a beaucoup qui en ont amené comme cela, mais pour les Angloïs ils se sont toûjours fait payer & je crois que je suis l'unique qui aye été

---

[22] On trouvera ici une curieuse confirmation du peu d'empressement de Rome à féliciter Louis XIV de la Révocation et du peu d'enthousiasme manifesté par le Pape à cette occasion. Sur ce point on pourra consulter l'ouvrage suivant : Louis O'Brien, *Innocent XI ans the Revocation of the Edict of Nantes,* Berkeley, California, 1930. Thèse de doctorat de l'Université Columbia.

porté ainsi ; d'ailleurs la caisse de mes meubles m'atiroit en Angleterre plutôt qu'en Hollande.

Il se rencontra dans le voisinage de mon logis une veuve d'un Bourgeois de Languedoc qui étoit venüe du bas Dauphiné. Elle s'étoit sauvée comme elle avoit pû avec un neveu de son mary. Cet honnête homme ayant appris l'édit du 22 d'Octobre, & croyant reantrer dans son bien sans être inquiété pour la Religion, eut la lâcheté de l'abandonner, & ayant trouvé quelques tartanes d'Aigue morte qui s'en retournaient ayant apporté du vin de Frontignan à Ligourne, il se mit dessus. Cette femme n'avoit jamais eu d'enfans, & son mary lui avoit laissé pour pension l'usufruit d'un domene à la campagne qui pouvoit valoir trois cens livres de rente, & elle le faisoit cultiver. Or comme il étoit reversible après sa mort à deux neveux de son mary, dont celui qui l'avoit amené en étoit un, apparemment il fut bien aise de s'en défaire par ce moyen. Il fit bien semblant de la solliciter à s'en retourner avec luy ; mais il étoit assuré qu'elle avoit trop d'attachement pour la Religion pour commettre cette lâcheté. Elle désira donc d'aller en Angleterre ou en Hollande, & ayant apris que j'étois Dauphinois, & que j'avois le même dessein, me fit prier par des Marchands de Languedoc d'avoir un peu de soin d'elle pendant le voyage & de faire marché de son passage.

Le jour avant nôtre départ ces Messieurs les Marchands Anglois nous vinrent trouver, & nous dirent qu'il arrivoit un méchant contre temps pour cette pauvre Damoiselle, qui étoit qu'un jeune Milord d'une des premières familles d'Angleterre, étant venu de Rome il y avoit quelques jours où il avoit changé de Religion, avoit pris fantaisie de s'embarquer sur le même Vaisseau qui nous devoit porter, & que comme il étoit extrèmement débauché, ils ne conseilloient point à cette Damoiselle d'aller avec lui, à moins que j'eusse la charité pour elle de me dire que son mari. Elle avoit plus de quarante-cinq ans, mais pourtant comme il prenoit bien souvent plus de vin qu'il ne lui en falloit, ces Messieurs appréhendoient qu'elle n'en reçût du déplaisir. Je leur promis & à elle tout ce qu'ils souhaitoient, & ainsi il ne fut pas question de faire aucun marché. Elle fut embarquée de même que moi, c'est à dire pour rien.

La résolution de ce Milord nous incommoda doublement, car il nous lui fallut laisser & à son Gouverneur la chambre qu'on nous bailloit, & nous réduire dans celle des armes & des poudres avec ses domestiques. Mais ce qui nous consola c'est qu'ils se trouvèrent fort honnêtes gens. Il avoit un valet de chambre anglois qui parloit bon françois, un laquais de Mompellier bien de la Religion & fort brave garçon, & un Trompette Napolitain fort honnête homme. Il étoit marié à Marseille, & il conçût tant de compassion de nous voir sauver de la sorte que s'étant aperçû que je n'avois point acheté de lit pour mon valet, & qu'il couchoit sur mon manteau, en nous quittant il lui donna le sien, qui lui avoit coûté une pistole dans Ligourne.

Monsieur Christophle Parker, un de ces marchands anglois, scachant l'heure que nous devions aller à nôtre bort, nous alla attendre sur le rivage, & fit mettre dans le bateau qui nous menoit au Vaisseau, une caisse de quarante bouteilles de vin Muscat de Florence dont il me fit présent, & me donna une lettre de recommandation à un riche Marchand de Londres nommé Monsieur Jean Brokin, & ainsi à mesure que je me suis éloigné de ma patrie Dieu m'a suscité des amis & des consolations suivant les promesses qu'il nous en a fait dans son Evangile.

IV

TROISIÈME VOYAGE

VOYAGE D'ESPAGNE

Nous partîmes donc de Livourne le 6 Février & navigeames fort heureusement pendant douze ou quinze jours, & ayant passé l'île de Majorque, nous commençâmes à cotoyer le Royaume de Catalogne. La Mer a beaucoup de fonds tout le long des côtes d'Espagne, de sorte que nous avions le vent fort favorable, nous allions toûjours le long du rivage, & ainsi nous voyons tout ce beau Païs comme si nous eussions été à terre, & discernions très bien les gens à pied. Nous cotoyâmes avec le même succès les royaumes de Valence, de Murcie, de Léon, d'Aragon, & prîmes terre dans celui de Grenade au port de Malaga, où nous séjournâmes trois jours. J'y rencontray trois Gascons dont l'un tenoit hôtelerie, & je logeai chez lui. La ville est grande, bien fortifiée du côté de la Mer à cause du voisinage des Mores. Il y a un bon Château & une forte Citadelle. Le Roi d'Espagne y tient bonne garnison à pié & à cheval ; les Cavaliers sont très bien montés, mais en piteux équipage pour les habits. Les ruës sont fort étroites, de sorte que les carosses ne peuvent aller que dans les faubourgs ; les Dames portent lorsqu'elles sortent un long manteau d'étofe de soi noire qui leur couvre toute la tête & le corps jusques aux talons, & qui n'a d'autre ouverture que vis à vis de l'œuil gauche, un trou de la largeur d'un teston. Ainsi de toutes les parties de leur corps, on ne leur voit que ce seul oeuil. La Noblesse y est aussi toute vêtüe de noir ; ils portent toûjours le manteau & des longues épées, leurs chapeaux ont près de deux pieds de bord, ils sont doublés de taftas noir & troussés des deux bords. Ils sont fort civils envers les étrangers, & comme on rencontre quelques fois du bourbier, le pavé étant rompu, qu'il faut passer sur des pierres, ils vous attendent de l'autre côté, le chapeau à la main & vous solicitent par signe de passer les premiers ; mais la populace sont incivils et rogues, & bien loin de là s'ils osoient ils vous jeteroient au milieu. Il n'y a rien de curieux à voir que l'Eglise qu'on dit être la plus belle et la plus grande de toute l'Espagne ; mais comme je ne m'enteste pas de la curiosité des Eglises bien que j'allay voir celle là, j'y en trouvay une autre qui me parut plus agréable, qui est que Malaga est la ville où l'on recueille ce bon vin d'Espagne blanc et claret tant renommé dans toute l'Europe & même dans l'Amérique, & qui est à très bon marché, si bien que jusques au moindre matelot nous en fîmes tous provision ; & après qu'ont eût pris l'eau qui nous étoit nécessaire nous en partîmes. Nous ne fûmes pas à dix ou douze lieuës sur la côte d'Andalousie que nous rencontrâmes quatre Vaisseaux qui venoient de Londres, & après s'être salués, un de ces Maîtres de navire vint dans le nôtre, & nous dit qu'il ne nous conseilloit pas de passer ainsi seuls le détroit, parce qu'il y avoit vingt-deux Frégates de Corseres Turcs qui avoient paru. Il falloit donc arrêter en quelque endroit, mais comme le vent se leva contraire pour aller aux Colonnes d'Hercule qui n'étoit plus qu'à quatre ou cinq lieuës de là, nous fûmes contraints de relâcher du côté de Tanger en Afrique, où nous fûmes deux ou trois jours attendant quelque compagnie. Mais comme il ne nous joignit qu'une Tartane Angloise chargée de Cytrons qui venoit de Naples, où il n'y avoit que six ou sept hommes dedans, s'étant levé un vent favorable pour passer le détroit, nous partîmes & cette Chaloupe faillit a être la cause de notre perte, comme je dirai dans la suite.

V

QUATRIÈME VOYAGE

VOYAGE D'ANGLETERRE

A peine eûmes nous passé le détroit que le Sentinelle, qui étoit au haut du grand mât cria qu'il voyoit deux vaisseaux tout-à-fait sur nôtre chemin, & un moment après il avertit qu'il en voyait encore deux autres, mais qu'ils étoient un peu escartés. Le Capitaine commanda incontinent à cette Chaloupe de nous suivre de près, & après avoir fait mettre au grand mât les flames de vaisseau de guerre, il fit charger à boulés trente canons que nous avions. Le trompete de ce Milor monta aussi au dessus de la poupe, se mit à sonner la charge ce qui n'aida pas peu à persuader à ces pirates que nous étions un vaisseau de guerre ; on prépara donc toutes choses pour un combat, & ensuite nous alâmes droit à eux. Lorsqu'ils nous virent approcher ils mirent la bannière de France, mais cela ne nous désabusa pas que ce ne fut des Corsaires. Nous avions quarante Matelots, le Capitaine, l'Escrivain, le Chirurgien & trois Pilotes, mais pour des Soldats il n'y avoit que ce Milor, son Gouverneur qui étoit un Capitaine d'Infanterie, moy & ses domestiques avec mon valet. Il y avoit bien encore un passager Anglois, mais il alla se cacher à fons de cale, ce qui fit que ce Milor qui l'avoit toujours fait manger avec ses domestiques, parce qu'il étoit Papiste ne le voulut jamais voir après. La hardiesse de nôtre Capitaine qui étoit un fort honnête homme étonna ces pirates, & comme nous fûmes à la portée de canon, voyant qu'ils ne tiroient point, il s'aprocha davantage & dès qu'on pût être entendu il leur demanda s'ils étoient François, ils répondirent que non qu'ils étoient Turcs. Il leur dit pourquoi est-ce qu'ils mettoient donc le pavillon blanc. A cela ils ne sçurent que répondre & lui demandèrent comment s'appeloit son vaisseau. Il leur nomma un des plus beaux vaisseaux de guerre qu'eût le Roi d'Angleterre. Après quoi nous passâmes outre & aprîmes au bout de quinze jours qu'ils avoient pris quatre vaisseaux Flamans. Nôtre navire valoit le prendre sans doute, car il y avoit à plus de cinq cens mille livres de marchandises. Nous n'en vîmes plus après cela, mais comme nous fûmes avancés dans l'Océan, nous ne manquâmes pas de vents contreres et de tourmentes étant sur la fin de Février qui est avec le mois de Mars les deux de toute l'année les plus orageux par conséquent les plus dangereux pour la navigation.

Cette Chaloupe qui nous suivoit voguoit si lentement que nous étions obligés à ne tendre que deux voiles, & encore allions nous plus vîte qu'elle avec toutes les siennes, ce qui nous retarda au moins de huit ou neuf jours. Nous fûmes cinq semaines depuis le détroit jusques à ce que les pilotes creurent que nous verrions le lendemain la première terre d'Angleterre ; mais sur la minuit il se leva une tempête si furieuse que nous fûmes huit jours sans voir ny Soleil ny Etoiles, ce qui leur fit perdre toutes leurs observations. Nous fûmes jetés tantôt d'un côté tantôt d'un autre, avec tant de tourmente qu'il nous fut impossible pendant ce temps de dormir & presque de manger. La Chaloupe qui nous suivoit nous perdit, & passa heureusement entre l'île de cely [23] et la terre ferme, qui est un endroit où les grands vaisseaux ne peuvent passer sans danger à cause des escueils, & alla porter les nouvelles de notre perte ; le 8e jour on abatit les mâts on ôta toutes les voiles, & nous nous abandonnâmes à la miséricorde de Dieu ne pouvant plus être maîtres du navire ; aussi la tempête fut plus impétueuse lorsqu'elle nous voulut quitter, il faisoit encore plus d'effroi dans nôtre chambre que dans les autres endroits, car comme on y tenoit les armes et les boulés, les caisses où ils étoient se rompirent dans la

[23] Probablement les îles Scilly, groupe de roches à l'ouest du cap Land's End.

tourmente & dans l'agitation, ils rouloient d'un côté & puis de l'autre, & faisoient un bruit épouvantable sans qu'on y peut mettre ordre, car on étoit occupé ailleurs. Sur la minuit après ces neufs jours Dieu eut compassion de nous & nous commençâmes à voir quelques étoiles, & le lendemain le Soleil ; les pilotes conneurent sur le midy que nous avions été jetés sur la côte d'Irlande, bien que nous ne vissions aucune terre, qui est un endroit fort dangereux à cause des rochers, lesquels nous évitâmes heureusement, & Dieu ayant fait succéder à la tempête un vent favorable, nous nous rendîmes dans six jours à Gravesin [24], qui est à sept lieuës de Londres, & c'est là où les grands vaisseaux se déchargent à moitié, avant de passer plus outre. Ce fut le dernier du mois de Mars 1686, & sans le retardement que nous causa cette Chaloupe, nous aurions arrivé de reste dans le même port avant ce grand orage.

Cependant cette pauvre Damoiselle que j'avois pris sous ma protection à Ligourne craignit si fort la mer que cela ou la crainte qu'on lui avoit donné de ce Milord, qu'elle voioit ou entendoit faire la débauche à l'ordinaire, la mit dans une fièvre tierce le lendemain de nôtre départ ; & cette rude tourmente l'y la fit changer en double tierce avec tant de foiblesse, comme elle ne quitta jamais le lit que j'étois presque en peine comme je la ferois sortir du vaisseau. On la croyoit ma femme & je ne les en désabusay point ce qui l'y évita asseurement bien du chagrin qu'elle auroit reçeû de ce Milor toute incommodée qu'elle étoit. Il n'y entra qu'une fois & l'y tint des discours fort deshonnêtes ; mais son trompette avertit incontinent le Capitaine qui descendit & le pria de se retirer. Tous ces domestiques étoient si honnêtes, que lorsqu'ils le voyoient en cet état & qu'il abordoit nôtre chambre ils en usoient de même, & ainsi ils évitèrent qu'il n'y entra que cette seule fois ; lorsqu'il n'avoit pas du vin il étoit bien aise d'avoir quelque conversation avec moy, mais

[24] Gravesend, à l'embouchure de la Tamise

comme il ne me parloit presque que de Religion, & qu'il paroissoit bigot pour celle qu'il venoit d'embrasser, je l'évitois bien souvent par ce que je ne me serois jamais empêché de lui répondre quelque chose qu'il lui auroit dépleu, & je ne me voulois point faire des affaires dans un Païs où l'on nous donnoit une si favorable retraite. Il nous quitta donc à Gravesin, & comme je vis que cette pauvre Damoiselle étoit si foible qu'elle n'étoit pas en état d'atendre sur le bord de la Tamise que j'eusse trouvé une chambre, je laissay mon valet pour la servir, & mon garçon qui étoit tombé malade aussi bien qu'elle, & m'en vins à Londres avec tant de santé Dieu mercy, que bien que je n'eusse jamais été sur la Mer, lors que je m'embarquai à Marseille, je ne fus jamais incommodé d'un simple mal de cœur. Les premières maisons que je rencontray ne sçachant point la grandeur de la ville, je me fis mettre à terre, & demandois une chambre à loüer, mais on ne m'entendoit point. J'y roulai assez long-temps jusques à ce que par signes ou autrement, je fis entendre à un homme qu'il me menât où il avoit des François, moyennant bien de l'argent que je lui promis, & que je lui montrai. Il me mena finalement à la Bourse, & m'ayant mis entre les mains d'un François il me laissa. Je lui racontai ce qui m'étoit arrivé pour lui inspirer plus de compassion, mais il me dit qu'il n'étoit pas de la Religion, que néanmoins je ne me mis point en peine, que bien qu'il fut loin d'une lieüe & demy, il ne me quitteroit point qu'il ne me vît logé. Nous cherchâmes donc mais inutilement une chambre dans ce quartier, si bien que n'en trouvant point, j'eus recours à la lettre que m'avoit donné Mr Christophle Parker à Livourne ; nous nous enquîmes si soigneusement du logis de Mr Brokin, qu'on nous indiqua la rue. Nous y allâmes & n'eûmes pas de peine à le trouver. Il ne s'y rencontra pas, mais ayant prié Madame Brokin d'ouvrir la lettre, & de me faire trouver une chambre, elle envoya incontinent sa Gouvernante, qui m'en loüa une vis-à-vis de son logis, & nous ayant bien fait servir à manger & à boire, qui ne me vint point mal, car il étoit six heures du soir sans que j'eusse encore rien pris, & j'étois crevé de lassitude d'avoir si long-temps marché, le pavé de Londres étant le plus méchant que j'aye encore veu.

Le Lendemain qui étoit un Samedy, je m'en retournai bon matin à Gravesin ; & amenay mes malades comme je peus. Les Gardes de la Douvre ne me laissèrent aporter de mes ardes que nos lits ; & étant revenus, il falut que mon valet avec le batelier portassent cette pauvre malade jusques à la chambre, & il me falut aussi presque toûjours porter mon petit garçon, mais ce qui nous vint bien, c'est qu'elle étoit tout proche de la Rivière.

Figure 3: Temple Huguenot de Threadneedle à Londres

Le lendemain qui étoit un jour de Dimanche, je m'enquis si soigneusement & roulay tant dès le bon matin qu'après qu'on m'eut mené à plusieurs Eglises Angloises, finalement on me mena au Temple François de Londres, où j'arrivay assez long-temps avant qu'on commençât le premier Prêche[25]. Ce

[25] Dès la fin du dix-septième siècle, on ne comptait pas moins de trente-cinq temples français, tant à Londres que dans les faubourgs. Onze d'entre eux se trouvaient dans Spitalfields, qui était devenu le quartier favori des réfugiés. Le plus ancien temple était celui de Threadneedle

fut là ou avec une joye que je ne sçaurois exprimer d'avoir rejoint ce précieux flambeau de l'Evangile, qui avoit été transporté hors de notre Royaume, je rendis mes très humbles actions de grâces à l'Eternel de la sortie de Babylon, & de mon heureuse arrivée dans ces fortunées contrées ou l'on prêche la vérité sans aucun trouble ni empêchement.

---

street, que Smiles appelle « the cathedral church of the Huguenots ». C'était là que réfugiés se rendaient en général, dès leur arrivée à Londres (Samuel Smiles, *The Huguenots : their Settlements, Churches, and Industries in England and Ireland*, New York, 1868, p. 270).

VI

CINQUIÈME VOYAGE

VOYAGE DE LONDRES

Lors que je fus retiré au logis, cette pauvre Damoiselle m'ayant derechef remercié des soins que j'avois eu de sa personne & de son honneur, me pria en l'état où elle étoit, non seulement de ne l'abandonner pas, mais encore de ne désabuser point les gens que ce ne fut ma femme, afin que non seulement je l'y peus faire avoir quelque secours si la maladie alloit en longueur, car elle n'avoit plus guère d'argent mais aussi afin qu'on ne conçeut quelque opinion désavantageuse de sa réputation, d'avoir fait un si long voyage avec des étrangers, & que si Dieu l'y redonnoit la santé qu'elle peut agir, elle trouveroit sans doute des gens de Languedoc de sa connoissance, qui la mettroit bien alors à couvert de tous les mauvais soubçons qu'on pouvoit avoir conçu de sa vertu. Je l'y repliquay que j'avois déjà songé à en user de la sorte, quand même elle ne m'en auroit point prié, qu'elle songeât à faire quelques remèdes pour se remettre, que Dieu m'avoit fait la grâce de sortir avec assez d'argent de chez moy, parce que je m'y préparois depuis long-temps ; voyant de quelle manière on nous traitoit, bien que je n'eusse jamais creu qu'on se fut porté à ces eccès, mais je ne doutois presque pas qu'on ne nous ôtat tous nos exercices & que la persécution se termineroit à cela. Ce qui arrivant je me disposais à aller jusqu'au bout du monde, pour chercher la prédication de la vérité, & pour tout que j'employerois jusques au dernier denier, plutôt que de l'abandonner. Je les fis donc traitter l'un et l'autre, & effectivement ils commencèrent tous deux à se remettre un peu. La fièvre de cette Damoiselle se remit en tierce, & celle de mon garçon diminua, mais ils étoient si foibles qu'ils ne peurent jamais que se lever au bout de quelques jours, & se tenir assis au devant du lit. Comme nos hardes nous étoient grandement nécessaires, & ne sçachant à qui m'adresser, je m'en allay le mercredy suivant au prêche & de là au Consistoire, où je priay ces Messieurs de me faire rendre mon linge, en ayant d'autant plus de besoin que j'avois deux malades. Ils prièrent Monsieur Herman Olmyus fort honnête Marchand Anglois de m'y servir ; il le fit avec beaucoup de générosité, étant un très honnête homme & fort charitable, & ce fut non-seulement dans cette rencontre, mais en plusieurs autres. Il parloit bon François, & il étoit si obligeant qu'ayant tous les jours besoin de lui à cause du Langage, il quittoit tout pour me servir, bien qu'il eût beaucoup d'affaires, & ne me laissoit même jamais sortir de son Logis qu'il ne me fit boire du vin d'Espagne.

Monsieur Brokin revint cependant de la campagne & d'abord m'envoya quérir. Il m'offrit cent services, me faisoit fort souvent manger chez lui, & si souvent qu'il ne tenoit qu'à moi d'y manger tous les jours. Il faisoit de plus mettre de la viande en particulier pour mes malades, & leur envoioit & la viande et le boüillon.

Comme je vis que leurs maladies avoient un peu de relâche, cela me donna un peu de liberté de voir la ville. J'allai faire visite à Monsieur de Bourdieu[26], ce fameux ministre de Montpellier, & lui fis des baisemains de la part des Messieurs Mire, Marchands de Marseille, qui s'étoient retirés à Livourne deux jours avant que les Dragons n'y arrivassent, & avoient

[26] Isaac du Bourdieu, ministre appartenant à une noble famille du Béarn, se réfugia à Londres et y prêcha jusqu'à l'âge de 95 ans. Son fils, Jean-Armand, avait été ministre à Montpellier et arriva à Londres avec un groupe de réfugiés, peu avant la Révocation. Il devint chapelain de la maison de Schomberg, et assista à la bataille de la Boyne. Il avait acquis parmi les réfugiés une position à part, à la fois par son zèle charitable et par les violentes invectives qu'il lançait contre le « Pharaon français ». Je n'ai pu trouver aucune mention de « M. Poyset » dont Durand cite le nom quelques paragraphes plus loin.

donné cent pistoles à un Maistre de Navire Anglois qui les y porta. Il étoit Pasteur avec Monsieur son fils dans l'Eglise de la Savoie. Il me fit mille caresses & m'offrit cent services.

La Savoye [27] est le plus grand Faubourg de Londres. C'est l'endroit où est la maison du Roi, de la Reine Douërière, & presque de tous les grands Seigneurs de la Cour. Il y a deux Eglises françoises, & une dans la ville, la plus grande partie des François logent là & au Faubourg Despedlefil[28], qui est de l'autre côté ; les loüages y étant meilleur marché que dans Londres.

L'Angleterre est un beau païs, très riche & très abondant en toutes sortes de grains, légumes, & principalement en paturages ; on y nourrit quantité de bétail, & tout le défaut qu'on trouve aux viandes de la Boucherie c'est qu'elle est trop grasse, de sorte que leurs fons n'étant chargé que des dismes pour l'entretien des Evêques & des Ministres, les impositions n'étant que sur les Marchandises & Mines de Tain, cela joint avec leur grand Commerce fait que c'est le païs le plus riche de l'Europe. Aussi ne voit-on presque pas un pauvre dans les ruës & à la porte des Temples ; mais ce qu'il y a & qui contribüe sans doute à la fertilité de leur terroir, c'est que dans l'hiver & dans le printemps il y pleust presque tous les jours, ou il y traîne un certain brouillard & on voit rarement un jour bien clair et bien serein, cela rend l'air fort humide & fort grossier, & ceux qui ne l'ont pas accoutumé deviennent fluxioneres. Quand à moi il s'en falut de beaucoup que je ne m'y portasse si bien que sur la Mer, de

---

[27] Une église épiscopale française avait été ouverte dans le faubourg de Savoye dès 1641. C'est là que prêchèrent Abbadie, Saurin, Dubourdieu. La facilité avec laquelle les Huguenots français acceptèrent la discipline de l'Église épiscopale anglaise, aussi bien en Angleterre que dans les colonies, pourra sembler surprenante. C'était là pour eux, avant tout, semble-t-il, un moyen de s'identifier avec les habitants de leur nouvelle patrie.

[28] Spitalfields

sorte que comme j'avois veu en France des imprimés touchant la Caroline [29], & que nous en avions souvent parlé pendant nôtre navigation avec cette Damoiselle, je m'enquis fort soigneusement si ce qu'on en disoit étoit véritable. Elle étoit femme de campagne & n'aimoit pas les villes non plus que moi, elle entendoit parfaitement toute l'Oeconomie des champs, & me disoit qu'elle élevoit dans son domaine quantité de vers à soye avec beaucoup de succès [30] ; qu'elle ne laissoit aucun regret en France, & que si je voulois y aller puis qu'il y avoit beaucoup de meuriés & la mener avec moi, elle me remettroit entre les mains le peu d'argent qui lui restoit ; qu'elle avoit des habits & du linge pour sa vie avec quelques meubles, qu'elle auroit soin de mon ménage, & passeroit le reste de ses jours avec moi. J'avoue que je vins à Londres entesté de ce païs là, & ce qui acheva de m'enchanter ce fut la confirmation qu'on me donna de la vérité de ces imprimés, & la résolution de cette femme.

Je ne voulus pas pourtant entreprendre un si long voyage sans consulter mes amis, si bien que je m'en allai trouver Monsieur de Bourdieu, qui m'avoit tant témoigné de tendresse, & lui en parlai, il me dit fort généreusement qu'il ne me conseilloit point d'aller en ce païs là, qu'il s'emploieroit de tout son pouvoir pour me faire avoir une subsistence honnête pour deux ou trois ans, & qu'après cela, comme nous étions voisins de Province, il falloit retourner en France, qu'il avoit septente ans, mais qu'il ne prétendoit pas de

---

[29] Sur cette propagande de l'émigration, voir *Introduction*, p. 14.

[30] A plusieurs reprises des tentatives furent faites pour introduire l'industrie de la soie en Caroline et en Virginie où les mûriers abondaient (voir P. A. Bruce, *Economic History of Virginia*, I, p. 366 et suiv.). Au milieu du dix-septième siècle, le gouverneur Berkeley avait même songé à faire venir des colons de Provence et d'Italie à cet effet (*Id.*, I, p. 400). Jefferson y pensait encore à la fin du dix-huitième siècle. Tous ces efforts furent vains ; les colons préféraient la culture du tabac, et la Virginie ne produisit jamais la soie en quantités marchandes, bien que les expériences faites semblent avoir été satisfaisantes.

mourir qu'il n'eût encore prêché à Montpellier. Cela m'ébranla un peu, mais en me retirant de chez lui je rencontrai un homme que je connoissois, qui me dit que Monsieur Pyoset, Pasteur de l'Eglise de Londres, qui m'avoit aussi offert service, avoit reçû une lettre de ce païs là d'un Marchand de son lieu, qui y étoit allé depuis peu. Je m'en allai donc encore le trouver, il me dit qu'on ne lui écrivoit que du bien, & qu'il me conseilloit d'y aller ; mais j'eus à prendre garde avec qui je m'embarquerois, parce que celui qui lui écrivoit, lui marquoit qu'il avoit été fort mal traité par le Capitaine du Navire qui l'avoit porté. Je suivis donc ce dernier conseil, parce que Dieu m'avoit destiné à souffrir.

M'étant absolument déterminé à faire ce voiage, je commençai à acheter des meubles, des outils de fer pour faire travailler, & des ferremens pour faire bâtir une maison ; mais comme l'argent n'a point d'anse pour le retenir, je n'avois pas plutôt acheté une chose, qu'un autre venoit et me disoit qu'il me faudroit encore ceci ou cela, que ceux qui y étoient allés avant moi en avoient porté. Je m'embarquai donc insensiblement à dépenser bien de l'argent, de sorte que je voiois que je n'avois pas demeuré plus de cinq ou six semaines dans Londres que j'y avois déjà laissé, ou pour faire traiter mes malades, ou pour ce que je viens de dire, plus de quarante Louis d'Or[31].

Voyant donc si fort diminuer mon argent & étant solicité par cette Damoiselle, que quelqu'un avoit persuadé qu'elle pourroit bien se remettre sur la Mer, comme cela étoit arrivé à beaucoup d'autres, j'allai parler à un Capitaine de Navire,

---

[31] P. A. Bruce indique que le coût du passage pour les gens de la plus basse classe était environ 5 livres et 10 shillings. La somme demandée à Durand était donc le prix ordinaire. (*Economic History of Virginia*, I, p. 630). Mais Durand ajoute sur la nourriture et le logement des détails qui ne semblent pas se trouver ailleurs. Sur les objets qu'emportaient les colons et particulièrement sur les clous et les outils de fer, voir aussi Bruce, II, p. 146.

qui devoit partir le Vendredi suivant, & nous étions au Lundi. Ils font payer vingt Escus par tête pour faire ce voyage, mais moyennant cela, ils vous logent entre deux ponts, vous couchent trois dans un lit, & ne vous baillent que de pottage de pois tous les jours une fois, & trois jours de la semaine du bœuf salé, & les autres quatre jours de la plus méchante morlue qu'ils peuvent trouver, du moins celui qui nous mena en agit de la sorte, si bien que pour être logé dans la grande chambre qu'ils appellent, & y avoir deux méchants lits, un pour mes malades & un coin à mettre mon petit matelas, il fallut lui donner encore trente eschelins, & il ne vous baille pour toute boisson que de l'eau. Moi qui ai une extrême répugnance pour le poisson, je fus contraint de faire d'autres provisions pour la boisson & autre chose. Je m'engage donc avec lui, & me vis encore exposé à une dépense de trente pistoles, & encore à vivre bien mincement.

VII

SIXIÈME VOYAGE

VOYAGE DE LA CAROLINE DANS LES INDES OCCIDENTALES

J'allai à Gravesend où je joignis nostre Navire, y étant je fus grandement surpris de n'y trouver point de François, car ce maître m'avoit dit qu'il en porteroit six, dont il y en avoit qui sçavoient parler Anglois. Il me répondit car j'avois encore mon truchement qu'il étoit véritable qu'il y en avoit six qui devoient venir avec lui, mais qu'aiant ouï parler d'une collecte[32], ils s'étoient arrêtés pour essayer d'en avoir quelque argent. Il me fallut passer par là, je l'avois payé. Nous allâmes jusqu'à Dyel où nous jetâmes l'ancre, ce fut là où nous joignit trois ou quatre Marchands Anglois, dont il y en avoit quelques uns qui avoient leurs femmes & enfans, avec Monsieur Ysné[33], homme de 32 ou 33 ans, très bien fait de corps et d'esprit, & qui parloit fort bon François. Il me dit qu'il étoit Facteur de quelques riches Marchands de Londres, qui l'envoioient en ce païs là avec quelque Marchandise pour essayer d'y établir un Commerce. Non seulement j'eus une grande consolation, de ce qu'il parloit François, mais c'est que outre cela il se trouva le plus honnête homme et le plus obligeant que j'aye vu de ma vie. Après qu'on eut pris tous les passagers qui devoient venir, nous partîmes, & après avoir fait trente ou quarante lieües, fûmes contraints de rebrousser

---

[32] C'était le *Royal Bounty*, provenant d'un fonds établi dès 1681 pour venir en aide aux réfugiés, et renforcé par de nouvelles collectes faites dans les églises anglaises à partir du 23 avril 1686.

[33] On retrouvera plus loin ce curieux personnage qui nommait en réalité Parker et était allié à la famille des Disney ou d'Isley, comme l'a montré le « Virginian ».

par deux fois à Dyel[34], après quoi nous en partîmes encore, & ayant avancé jusques à l'Isle de Wicht [35], nous falut retourner à la Rye. Nous fûmes ainsi pendant quatre semaines d'un port à l'autre, étant toûjours contrariés par le vent d'Occident, jusques à ce que nous arrivâmes finalement à Falmouth, qui est le dernier port d'Angleterre. Je trouvai un si honnête homme de capitaine que comme il me falloit toujours prendre terre pour avoir quelque chose pour mes malades, il ne souffroit pas seulement que j'alla dans son batteau, il me falloit à grand frais m'y faire mettre par des batteliers qui venoient vendre de Bière ou de Tabac dans le Vaisseau, & les Matelots qui ne valoient pas plus que lui, revenoient quelque fois avec leur batteau vuide dans nôtre bort, sans m'y vouloir mettre dedans.

Cependant cette Damoiselle avoit repris la fièvre double tierce, & mon garçon diminuoit aussi visiblement. Après avoir donc fait demander au Maistre s'il croioit faire quelque séjour à ce port, il me fit dire, que si le vent ne changeoit d'un mois ou de deux, il n'en partiroit point, qu'il y avoit des vaisseaux qui y avoient demeuré autant. Cela fit qu'étant allé à la ville avec Monsieur Ysné, qui me dit qu'il ne me quiteroit point, nous y trouvâmes un Chirurgien François, qui y étoit depuis quatre ans. Je le priai de me faire trouver une chambre pour y reposer quelques jours mes malades. Il m'en fait loüer une à 30 sous par semaine, & ayant arresté un bateau je le priai de me l'envoyer le lendemain bon matin, & je les y fis porter. Mais environ le midi comme on nous dit que le vend se changeoit un peu sur le Sud, je les fis mettre sur le lit habillés. Environ les six heures j'allai trouver ce Capitaine qui étoit dans la ville, & lui fis demander s'il prétendoit de partir ce jour-là. Il me répondit que non, que je fisse coucher mes malades & que si le vend étoit bon le lendemain, qu'il m'envoieroit son bateau à la pointe du jour. Monsieur Ysné

[34] Deal, sur la côte entre Ramsgate et Douvre.
[35] Ile de Wight.

qui se rencontra avec lui, me dit en François qu'il étoit étonné que ce brutal me fit cette honnêteté, qu'il ne l'en auroit pas creu capable. Je m'en vai donc les faire mettre dans le lit, & il s'en retourna au Navire. Environ la nuit close, je vois entrer quatre matelots dans la chambre, lesquels amenoient ce Chirurgien François pour se faire entendre, qui me dirent de la part de leur barbare de Maistre qu'il falloit tout présentement aller à bord, qu'ils avoient amené le bateau, sinon qu'il alloit partir & emporter mes hardes. Cette brutalité me mit dans le désespoir, néanmoins comme j'étois si fort accoutumé & endurci à toutes sortes de fâcheux accidens, je me déterminai d'abord, & dis à cette Damoiselle qu'à moins que Dieu nous eut favorisé d'un vent contraire, qui lui eut donné le moyen de rester quelques jours avec mon garçon pour reprendre un peu de force, elle n'étoit pas en état de résister à la mer, qu'il ne falloit point contribuer à nôtre mort pour les biens du monde ; que j'étois prêt à sacrifier tout pour la faire servir, qu'il falloit se fier à la Providence pour l'avenir, et ainsi qu'elle ne bougeât point du lit que j'alois au navire faire mettre à terre ce que nous y avions. Cette pauvre femme bien loin de se rendre à ces raisons se jette hors du lit & s'habille aussi diligemment que sa foiblesse l'y peut le permettre.

Et ainsi nous allâmes à notre bord qui étoit bien à demy lieüe de la ville. Le serein de la nuit ou la fatigue qu'elle eut changea sa fièvre en continue, & quoique le vent fut assez favorable, nous ne partîmes que le lendemain sur le tard. Cet honnête homme de Capitaine me voyant étranger & destitué d'amis, s'imagina que par ce moyen il pourroit se prévaloir de ce que j'avois dans son vaisseau ; car si je n'y fusse venu comme il se l'imaginoit, il n'auroit manqué de partir la nuit même, & se seroit mis à couvert, en cas que quelqu'un s'en fut voulu formaliser en ce qu'il m'avoit envoyé & que j'avois refusé de venir.

Nous étions environ soixante personnes en tout. Il y avoit

deux Marchands qui avoient leurs femmes & enfans, & outre ce encore six autres en contant Monsieur Ysné que nous croyons tel, tous fort honnêtes gens. Mais outre cela ce Capitaine avoit fait embarquer pour vendre douze prostituées & quinze jeunes garnemens, qui étoient sans doute tout ce qu'il y avoit d'effronté & d'insolent en Angleterre[36].

Nous partîmes de Falmous en compagnie d'un vaisseau qui alloit aux Barbades, & eûmes le vent si favorable, la première semaine qu'on disoit que s'il continuoit nous arriverions dans moins d'un mois. Mais après huit ou neuf jours notre conducteur qui outre sa brutalité étoit un vrai ignorant en navigation n'ayant jamais commandé de vaisseau, voulut quitter ce navire, & dit pour raison que comme nous voyagions contre l'été, qu'il alloit tenir du côté du Nort, que nous aurions dans la suite quelque vent septentrional qui nous remettroit sur nôtre degré ; & cependant nôtre route étoit d'aller près des deux tiers du chemin avec cet autre vaisseau, qui arriva en effet un mois après nous avoir quitté aux Barbados, qui n'est guère moins loin que la Caroline, ce que nous apprîmes long-temps après sur la mer.

Je contractai cependant une grande amitié avec Monsieur Ysné, & assurément, il ne conversoit guère plus qu'avec moy. Je trouvai ces manières d'agir si honnêtes & si généreuses qu'il s'attira facilement toute mon estime, & je me sentois forcé par une douce violence à lui rendre beaucoup

36 Sur la façon dont on recrutait non pas les colons, mais les « servants », on pourra consulter P. A. Bruce, *Economic History of Virginia*, I, p. 612 et suiv. On y verra comment on attirait surtout des jeunes gens, souvent embarqués de force, après avoir été enlevés et gardés plusieurs mois dans des « fours ». D'autres étaient fort heureux de saisir cette occasion d'échapper à la justice. A côté de ces recruteurs sans scrupules, on trouvait d'ailleurs des « agences » parfaitement honorables. Voir aussi James Curtis Ballagh, *White Servitude in the Colony of Virginia.* Johns Hopkins University Studies in Historical and Political Science, 13e série, vol. VI-VII, Baltimore, 1895.

plus de civilité qu'à tous les autres, bien que je les creus d'aussi bonne qualité que lui, de sorte que comme ces efrontées venoient perpétuellement chanter & dancer au dessus de mes malades, je le priois fort souvent d'en faire des plaintes au Capitaine. Non seulement il l'y les faisoit, mais il s'employoit encore lui-même à les en empêcher autant qu'il lui étoit possible, pendant que ce brutal ne faisoit qu'en rire. Cela me fit concevoir une si grande détestation contre ces personnes, que si j'eusse été sur un bord François, je crois que j'en aurois jeté quelques-uns dans la mer.

Assurément leur insolence fit quelque métamorphose dans mon humeur, car je ne doute point que ceux qui me connoissent n'imputent le plus grand défaut qu'ils ayent coneu en moi à un amour un peu déréglé pour le sexe, & si je veux rendre hommage à la vérité, elle me contraindra d'avouër que dans ma jeunesse il n'y avoit pas d'injustice dans cette accusation. Ce n'est pas que j'aye jamais été assez brutal & assez lâche pour donner aucun attachement à ces prostituées, mais je suis obligé de confesser que je n'avois pas toute l'indignation que méritoit leurs débordemens. De sorte que je puis dire comme un certain philosophe stoïcien s'étant laissé surprendre d'avarice, un jour que dans l'ancienne Rome on fit un triomphe où l'on étala toutes les richesses dont on avoit dépoüillé l'Orient, surmonta cette passion à la vue de tant de trésors. De même, comme je dormois peu à cause de la tristesse et de la mélancolie ou j'étois plongé, me levant presque à toutes les heures de la nuit, je voyois commettre tant d'abominations par ces filles avec les matelots & quelques autres, que cela joint au chagrin que je recevois de leurs dances et chansons, me fit concevoir une haine pour ces sortes de personnes de laquelle je ne reviendrai jamais. Mais à mesure que cette aversion s'est accrue en moy, je ne puis dire avec vérité, que le respect & la vénération que j'ay toujours eu pour celles qui font profession de modestie & de vertu a augmenté à proportion.

Nous navigeâmes cependant si bien contre le Nord, le vent de midy continuant toujours, que nous nous rencontrâmes plusieurs degrés au delà de celui où est scitué la nouvelle Angleterre où nous vîmes de monstrueuses balines, & étant contraint de revenir le long de ces côtes où nous étions à cinquante lieuës de terre, nous employâmes tout le mois de Jüillet à traverser la nouvelle Angleterre, nouvelle York, Painsilvanie, & Virginie, & jusques à ce que nous nous rencontrâmes sur le degré de Virginie & Marilan, il nous fallut toujours chausser ou prendre tous les habits que nous portions au cœur de l'hiver.

Nous étions dans la dixième semaine depuis nôtre départ de Londres, lors qu'il pleut à Dieu de retirer cette pauvre Damoiselle. Je la regrettai beaucoup parce que c'étoit une personne d'une grande vertu, & qui m'auroit grandement servi à un établissement. Mais je l'aurois encore regrettée davantage si elle eut vécu quelque temps après, parce que nous entrâmes dans la disette de toutes choses, & du moins j'avois encore du vin & toutes les provisions que j'avois apportées. Je la servis le mieux qu'il me fut possible. J'avois un valet brave garçon, que j'avois amené de France, qui la servit aussi avec une grande affection & assiduité, & comme s'il n'y en eut pas assez pour m'accabler, Dieu retira encore mon garçon trois jours après. Tant de pertes me réduisirent dans un état lamentable. Je priai le bon Dieu avec beaucoup de zèle & d'ardeur de terminer tant d'afflictions & de souffrances par une prompte mort, mais mon heure n'étoit pas encore venüe[37]. Monsieur Ysné compatissoit beaucoup à mon désespoir, & me consoloit autant qu'il pouvoit. Asseurement ma douleur fut sans comparaison plus grande que si tout cela m'étoit arrivé en Angleterre, car alors je

[37] Les souffrances endurées par les passagers pendant la traversée sont à peine croyables; En 1680, lord Culpeper écrivait encore que « la mort, le scorbut et la calenture » régnaient à bord de la flotte qui l'accompagnait. Voir P. A. Bruce, *Economic History*, I, p. 136-139.

n'aurois pas hésité de suivre le conseil de Monsieur de Bourdieu. De ce que je me voyois seul dans un païs où mon valet venant à me manquer, j'étois destitué de tout secours. Je n'étois pas pour travailler, & je n'avois pas de quoi vivre autrement ; ma mélancolie m'entretenoit ordinairement dans ces funestes pensées. Mais finalement comme Dieu ne nous jette jamais dans des rudes épreuves qu'il ne nous donne aussi une issue pour en sortir, & la patience pour les supporter, je commençai à faire des réflections sur la Providence qui m'avoit pourvu si libéralement d'amis & de toute autre chose depuis mon départ de France, & me rasseurant sur ce qu'elle ne m'abandonneroit pas mieux dans l'Amérique, je commençai à goûter quelque consolation & à reprendre quelque sérénité.

Finalement le premier jour du mois d'Août comme nôtre ignorant de Capitaine croyoit de n'être plus qu'à vingt quatre lieües de la Caroline, nous rencontrâmes un vaisseau qui venoit de Barbades. Nous fûmes bien aise de leur parler, & ayant mis l'esquif en mer où y alla le maître de ce navire vint dans le nôtre, & nous dit qu'on s'étoit grandement trompé que nous étions encore esloignés plus de deux cent lieües de Charlestoun. Tous ces Messieurs les Marchands lui ayant dit qu'ils alloient s'établir en ce païs là, qu'ils portoient des imprimés qui le faisoient passer pour le plus beau, & le plus fertile qui fût dans l'Amérique, & que beaucoup de personnes à Londres les avoient assuré tout cela être véritable, ce Capitaine leur répliqua qu'il y avoit deux ans qu'il y mena trente deux personnes de Plemous [38] tous fort vigoureux, qu'il y retourna onze mois après, & qu'il n'en trouva que deux en vie, & qu'il n'y avoit pas un acre de bonne terre dans tout le midy de Caroline. Un de nos Matelots ajoûta qu'il y étoit l'année dernière dans le mois de Juillet, & que la moitié de Charlestoun avoit déserté ou étoit mort[39].

---

[38] Plymouth.

[39] Sur les épreuves des réfugiés en Caroline, voir le journal de Judith Guiton, dans Baird, édition française, p. 363, et G. Chinard, *Les Réfugiés*

Toutes ces nouvelles étonnèrent ces Marchands, & ayant apris que ce navire qui étoit chargé de Nègres, & de Sucre les aloit vendre à Marilan, & y charger de Tabac, ils firent marché avec lui pour les mettre sur la première terre de Virgine en passant. Et ayant à la faveur d'un calme qui dura deux jours fait transporter toutes leurs marchandises dans ce vaisseau, ils nous quittèrent. Monsieur Ysné en étoit un. Il fit tout son possible pour m'obliger à aller avec eux, mais je lui dis que comme je n'avois pas apris qu'il y eût des François dans la Virgine, je n'y pourrois être que mal, que bien que j'eusse un extrême regret de me séparer de lui, il faloit suivre ma destinée, puisque j'étois engagé si avant. Ce fut ce maître de navire qui nous assura que ce vaisseau avec qui nous étions partis de Falmous [40] étoit arrivé un mois après nous avoir quitté aux Barbades. Je restay donc avec deux Marchands & un Charpentier qu'il y avoit encore, & ce fut alors que nôtre misère augmenta de beaucoup. Nous commençâmes à nous ressentir de la chaleur du climat de la Caroline, en approchant le degré où il est situé. Nous avions eu peu auparavant une rude tempête qui avoit brisé les cercles d'un tonneau de bœuf salé, que nous avions encore. L'eau salée s'étant répanduë, il se corrompit & l'on n'en put plus manger. On réduisit tous ceux du vaisseau à trois livres de biscuit moisy par semaine, & un pot d'eau pour chacun par jour. Bien que j'eusse fort ménagé mon vin, il y avoit huit ou dix jours que je n'en avois plus. Mais tout cela n'étoit rien en comparaison de l'affliction que je ressentois. A l'absence de Monsieur Ysné elle se réveilla avec plus de violence que jamais, & je puis dire que cela faisoit que je regardois avec indifférence la faim et la soif & toutes les autres misères.

Et si j'en étois touché, c'étoit plutôt de voir souffrir mon valet que de me voir souffrir moi-même. J'étois pourtant

---

huguenots, p. 202 et suiv. La malaria et la fièvre jaune qui existaient à l'état endémique firent plus que décimer les premiers émigrants français.

[40] Falmouth.

celuy de tout le vaisseau qui enduroit le plus, parce que du moins, il y avoit encore de méchante merluche que les autres mangeoint, & même lorsque nous commençâmes à approcher la terre, les matelots pêchoient du poisson frais presqu'autant qu'il leur en faloit. Mais pour moy j'ai une si grande répugnance pour toute sorte de poisson qu'il me fut impossible d'en jamais goûter. Il est vray que lorsque je quittai ma patrie pour suivre la vérité, je m'étois disposé à souffrir ces choses, en cas que Dieu m'y appelât, mais j'avouë que ces sortes d'afflictions m'accablèrent par ce que je ne m'y étois pas attendu.

Nous fûmes si fort contrariés par le vent d'Occident que nous n'arrivâmes sur le Golfe de Floride que le dixième de Septembre. Nous avançâmes lentement à cause de sa violence jusques à ce qu'un matin nous vîmes la terre de quoi nous fûmes grandement contens, & nous commençâmes à préparer tout pour aller coucher à Charlestoun. Il faut qu'il y aye bien des Oiseaux dans ce païs là, car les mâts étoient tout garnis de toutes grosseurs. Mais environ le midy sans que le vent augmentât aucunement l'agitation du golfe mit toute la proue du vaisseau en pièces, rompit à pied le mât qui est au dessus. Ce mât tomba contre le grand, & nous rompit deux arbres, & nôtre vaisseau se trouva si fort, car il n'y avoit que quatre années qu'il étoit fait qu'il résista comme par miracle, sans quoi nous étions tous perdus. Nous fûmes donc rejetés en pleine mer, où l'on mit comme on put une perche à la proue pour tenir une voile, & n'osant plus tenter ce passage, nous le tournâmes contre la Virgine, & Dieu nous envoya un vent favorable, que bien que nous n'eussions presque point de voiles nous arrivâmes dans sept ou huit jours. Il mourut pendant ce temps trois ou quatre personnes, & ils expirèrent faute d'une goûte d'eau ; bien qu'il y en eût encore ce inhumain de maître ne leur en laissa jamais donner que leur portion. Nous jetâmes l'ancre dans la rivière de Nort a demi lieue du rivage[41]. Les habitans du païs vinrent d'abord nous visiter, & s'y étant trouvé un François qui avoit acheté son service, je voulus aller à terre avec lui. Ayant donc quitté mes habits qui étoient tous remplis de poye et de goudron, j'en pris un que je n'avois point vêtu depuis Marseille. Il me fallut retressir la ceinture des hode-chausses de seize pouces.

[41] North River, dans la baie de Mobjack.

VIII

BREFVE DESCRIPTION DE L'AMÉRIQUE, AVEC UNE PLUS ÉTENDUE DE VIRGINIE & DE MARILAN.

Je pris terre avec un grand contentement aprés avoir demeuré dix-neuf semaines sur la mer, ce fut le 22 septembre 1686. Dès que je fus arrivé dans les Indes, j'ay écrit toutes les semences que j'y ai veu, & ainsi ce que je mets présentement est presque la dernière chose que j'y ay écrit. Mais afin de donner plus de connoissance des voyages que je décriray dans la suite j'ay jugé à propos de le tirer de son rang & l'employer ici.

Le Roi d'Angleterre possède dans l'Amérique six colonies en terre ferme, & trois belles îles ; savoir la nouvelle Angleterre, la nouvelle York, la Painsilvanie, Marilan, Virginie & Caroline, & pour les îles, les Barmudes, les Barbades & la Jamayque.

La Painsilvanie, n. Angleterre, n. York, sont toutes soubs le 40. 41. 42. & 43.degré. Il y croît de toutes sortes de grains, comme en Angleterre, c'est un païs encore fertile en herbages pour y nourrir du bétail, suivant ce que j'en ai ouï dire en ce païs, ce que j'en ay veu étant sur la mer à leur oposite ils sont plus froids que l'Angleterre. Ils y font du fer, du chanvre, du lin de la poy, du Goderon. Il y a une belle ville nommée Baston[42]. Les habitans commercent dans les îles. Ils leur portent du froment, & lors qu'il leur manque, ils en viennent acheter dans la Virginie pour leur porter. Ils le changent pour

[42] Boston, orthographe fréquente chez les voyageurs et les cartographes français du dix-septième et du dix-huitième siècle. C'est un effort pour transcrire phonétiquement la prononciation encore courante dans la Nouvelle-Angleterre.

du sucre, du rom, qui est une eau de vie faite avec la lye du sucre, du coton, des especeries, & s'en fournissent non seulement eux, mais la Virginie & Marilan, car les habitans de ces deux colonies ne sortent jamais de leur païs.

Au Nort de nouvelle Angleterre, il y a la nouvelle France ou Canada. C'est un païs si froid qu'il n'y croit que des Avoines & quelques Légumes. Les Indiens de la n. Angleterre leur portent du bled qu'ils changent pour des peaux de bêtes sauvages. Le Roi de France a aussi soin de leur en envoyer.

La Caroline est divisée en deux parties distinguées par le midy, & le Nort. Au midy est Charleston, où il y a environ deux cens maisons. C'est à ce midy où se sont habités tous les François qui y sont allés. Dans tous les païs que le Roi d'Angleterre possède dans l'Amérique on donne à chaque étranger qui y veut aller habiter cinquante acres de terre. Dans la Caroline, on est obligé de payer un sol pour chaque acre annuellement, mais dans la Virgine on ne paye au Roi que deux chelins pour cent acres, parce qu'il relève directement de lui, n'y ayant aucuns propriétaires[43]. Il y a de très beaux cèdres beaucoup plus gros & plus droits que ceux de Virgine, des Noyés, abondance de Meuriés, des Figues, des Pêches, des Cerises, des Pommes, mais il n'y a point d'Oliviés, d'Orangers, de Citroniés, de Vignes sauvages, ni de Coton comme disoient ces imprimés. Ils n'ont que des Moulins à bras & des Pylons pour moudre leur bled, & auront de la peine d'y faire des Moulins à eau, parce que le païs est trop plat, & trop garni de bois pour y faire des Moulins à vent. J'estime la terre aussi bonne comme aux Provinces qui sont le long du fleuve de Gemerive au midy de

[43] Sur les conditions faites aux réfugiés en Caroline, voir Arthur Henry Hirsch, *The Huguenots of Colonial South America*, ch. VIII, The Economic success of the Huguenots, Duke University Press, 1928. On peut reprocher à M. Hirsch de s'être attaché surtout à relater le succès des émigrants et d'avoir négligé leurs souffrances et leurs échecs.

la Virginie, le bled Sarasin y vient comme dans les autres endroits de l'Amérique. . Le froment a grand peine à y venir & n'est pas bon n'ayant quasi que l'écorce. J'ay veu un homme digne de foy qui en venoit. Il étoit de la nouvelle York, il me dit que s'il y avoit voulu manger du pain de froment, il lui avoit coûté six sols la livre, & le mouton sept sols, mais que pour du vin les François avoient fait venir des sarmens, des madères, & qu'il y en avoit qui en récoltoient déjà une assez bonne quantité qui est très bon. Pour des Bœufs, Vaches & Cochons, il y en a beaucoup, peu & presque point de Moutons, quantité de Volailles & de Gibier, malsain pour les François de quoi je ne suis pas étonné, car les provinces qui sont au Midy de Virgine bien que plus reculées de quatre degrés le sont beaucoup aussi. Voilà ce que j'ai apris de ces païs là par des gens d'honneur & dignes de foi. Toutes les terres de ces Colonies se joignent à l'Occident, mais il n'y a point encore aucuns chemins pour aller de l'un à l'autre. J'ai veu des Imprimés qui disoient encore que les hivers de ces païs commençoient lors que nous avions le printemps en Europe, ce qui n'est pas véritable, non plus, Leurs hivers sont le mois de Décembre, Janvier et Février. Ce que j'y ai remarqué différent de nos climas, c'est que je trouvois que dans le mois de Décembre, il y faisoit encore beaucoup de jour, & voyons que le Soleil faisoit encore un grand circuit sans qu'aucun m'en sceut dire la raison. Mais il arriva que le dix-neuf du même mois, étant allé faire la révérence à Monsieur le Gouverneur de Virgine, me trouvant dans la salle où il y a une Orloge fort juste, il sonna cinq heures & je vis que le Soleil paroissoit encore un peu contre les vitres. Cela me donna l'occasion dès que je fus arrivé dans ma chambre d'emprunter un clepsidre, & le 22 qui est le jour que les pylotes observent pour être le plus petit de l'année, je le mis dès qu'il fut jour qu'on auroit pu lire, & ayant soin de le tourner exactement toutes les heures, je trouvay qu'il fit encore onze heures de jour, de sorte qu'il est très certain qu'en ce païs les jours ne diminuent que d'une heure, & par conséquent n'augmentent pas d'avantage.

J'ai été cinquante lieuës avant dans le païs, & de là on voit des grandes montagnes comme les Alpes couvertes de neige en tout temps[44]. Au delà de la sont au midy de l'Amérique, le Pérou où sont ces riches mines d'or, le Brésil & toutes ces belles îles que les Espagnols & les Portugais y possèdent. C'est de là d'où découlent ces beaux fleuves qui arrousent la Virginie

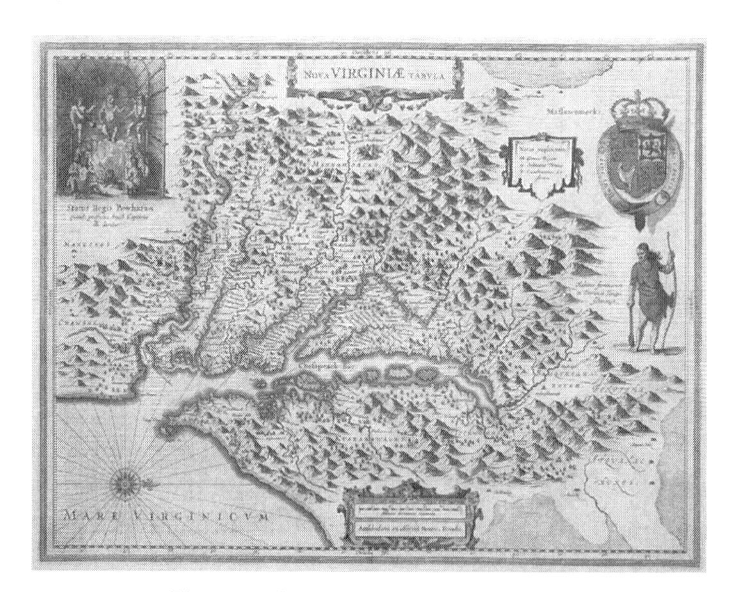

Figure 4: Carte de la Virginie par Blaue

Les Barmudes, les Barbades & la Jamayque sont de très bons & beaux païs. Ils font quantité de Sucre aux deux premières. Ils prennent quelque peu de froment, à la Jamayque point. Là les Orangers et Citroniés y croissent naturellement. Mais un autre grand revenu c'est que le païs est si bien le climat des Nègres qu'il y a des habitans qui en

---

[44] Si l'on se reporte à l'itinéraire de Durand, on verra qu'il a bien parcouru environ cinquante lieues, mais du sud au nord, sans jamais s'écarter beaucoup du rivage de la baie, et non de l'est à l'ouest comme sa phrase pourrait le faire supposer. Les montagnes qu'il a pu apercevoir ne ressemblaient que de très loin aux Alpes et certainement n'étaient pas couvertes de neiges éternelles.

auront cinq cens mâles et femelles, & multiplient si bien que dès qu'ils ont des enfans de douze ou treize ans, ils les vendent aux habitans de terre ferme, & ce leur est une grande richesse. Ils ont puis des épeceries du Coton & de l'Indigo.

Marilan fut découvert avant la Virginie, & ce fut soubs le règne de la Reine Marie. Il commença à se habiter des Catholiques Romains & des Protestans, & ainsi ils ont toujours esté meslés. Il y a des Eglises & des Temples, des Prêtres et des Ministres, mais ils vivent dans une grande union et concorde.

La Virginie fut découverte quelque temps après sous la Reyne Elisabet, & on le nomme Virginie parce que cette Reyne ne fut jamais mariée. Pour aborder l'un et l'autre de ces deux colonies, il faut passer le Cap de Bies[45], qui est deux pointes de terre au midi, garnies de bois distantes l'une de l'autre d'environ une lieüe. Les vaisseaux passent dans ce détroit & bien souvent le golphe de Floride y jette des sables qui rendent le passage dangereux pour les grands Vaisseaux, principalement dans l'hiver, & il y en a toujours quelqu'un qui y fait naufrage. A la pointe qui est à main gauche en arrivant, se joint quatre comtés de Virgine, séparées du reste du païs par le fleuve de Gemerive[46] qui se décharge dans le Cap, & sont vis à vis de la Caroline. A la pointe qui est à main droite est joint encore quatre comtés séparées encore du reste par un bras de mer qu'on appelle Bées, il s'élargit de six lieues à trois de son embouchure, & se maintient à peu près dans cette largeur jusques à Marilan, & dure environ trente lieues. La terre de cette colonie arreste son étendue. Ce bras de mer reçoit quatre grands fleuves : sçavoir à

[45] L'entrée de la baie de Chesapeake, entre le cap Charles, au nord, et le cap Henry, au sud.
[46] Note Ampelos : James River

commencer par le Nort, le grand fleuve de Pethomak [47], qui a trois lieues de large à son embouchure, celui de Rappahannak, celui d'York, & celui de Gemerive. Celui de Rappahannak est le plus large ensuite, & celui d'York qui est le moindre, est encore plus grand que n'est le Rone entre Baucaire et Tarascon.

La Virginie, c'est à dire, ce qui est habité par les Chrétiens, le reste n'a point de nom, bien qu'il soit de sa dépendance, contient vingt six Contés ou Provinces, & Marilan en contient douze. C'est le plus beau, le plus agréable & le plus fertile païs de toutes les Indes Occidentales. Ces quatre grands fleuves l'arrousent, & se déchargent dans Bées dans l'étenduë de ces trente lieues.

Dans la Virgine on ne souffre que l'exercice de la Religion Réformée. Il y peut bien avoir quelques Catholiques Romains, mais ils vont au prêche. Elle est sur le 36 & 37ème degré, l'air y est fort tempéré, le broüillard n'y traine jamais, les pluyes qu'il y fait en quelle saison que nous soyons sont toujours douces comme celles du moi de Mai en France, il n'y tombe jamais plus de demi pied de neige, & n'y demeure jamais plus de trois jours. J'y ai séjourné jusques au quinze de Mars 1687. Je ne sçai quel temps il aura fait en Europe, mais en ce païs je n'y ai veu tomber que trois fois de neige : la première fois un pouce, l'autre deux, & la troisième un demi pied. Elle n'y demeure que trois jours, & les habitans de ce païs disoient que c'étoit un des plus rudes hivers qu'ils eussent veu. Lors que le vent du Nort y souffle il y fait fort froid & y géle très ferme, mais dès qu'il a cessé leurs hivers sont comme nos printemps de France. J'estime que je le puis hardiment mettre sur un degré de chaleur comme le Montélimar, & St. Paul-Trois-Chateaux en Daufiné. On le peut juger en ce qu'on y sème le froment à la fin d'Octobre &

---

[47] Le Potomac, le Rappahannock, le James. Gemrive reproduit approximativement la prononciation locale, encore en existence, de James river, d'après le « Virginian ».

au commencement de Novembre, & on le moissonne le quinze de Juin.

Il n'y a ni ville ni village qu'un seul nommé Jemston[48], où s'assemble le Parlement. Le reste est tout des Maisons seules, chacun a la sienne dans sa plantation. On y recueille une si grande quantité de Tabac qu'il y en a de quoy charger cent cinquante Navires tous les ans dans la Virgine tant seulement. Ceux qui achètent ce Tabac payent vingt quatre sous par tonneau & cela paye cinquante mille livres au Gouverneur, paye tout le Parlement & les cinq collecteurs. Il y a douze Conseillers qui sont pourveus par le Roi d'Angleterre, & un Juge dans chaque Comté qui tient audience deux jours de chaque mois. Les appellations de ses jugemens vont au Parlement qui s'assemble deux fois l'année : le mois de Mai & le mois d'Octobre[49].

Pour ce qui est du païs on ne paye autre Imposition que celle des Ministres & deux chelins pour chaque cent acres de terre au Roi. Il est vrai que depuis quatre ou cinq ans, on impose quelque chose pour l'entretien de quelques troupes. Ce que j'en ai appris c'est qu'on avoit fait comme un traité avec ces Sauvages il y a longtemps, par lequel ils abandonnoient la Mer aux Chrétiens, & s'étoient retirés bien

---

[48] Transcription phonétique de Jamestown. Siège du premier établissement des Anglais en Virginie, fondée en 1607, détruite par Richard Lawrence au cours de la rebellion de Bacon en 1676 ; la ville commençait à peine à se relever de ses ruines, quand le gouverneur Nicholson transporta la cour de justice à Williamsburg qui devint bientôt la capitale de la Virginie. Voir Beverley, liv. I, ch. IV.

[49] Le « Parlement » mentionné ici par Durand, n'est point l'*Assembly* qui se réunissait environ tous les deux ans et dont il ne paraît pas soupçonner l'existence. Il veut parler ici de la « Cour générale », composée du gouverneur et de douze conseillers, qui se réunissait en effet deux fois par an, le 15 avril et le 15 octobre. Durand simplifie d'ailleurs à l'extrême le gouvernement de la Virginie, et le système des impôts qui était, en réalité, beaucoup plus compliqué.

avant dans le païs, à la réserve de quelques uns qui avoient resté. Ces Sauvages n'avoient eu ni avoient jamais ouï parler de la petite vérole. Cette maladie qui prend de temps en temps les Chrétiens des Indes comme ceux de l'Europe, se communiqua à eux. Ils demandèrent ce qu'on avoit accoutumé d'y faire pour y remédier. Quelques malicieux leur dirent qu'ils n'avoient qu'à chercher l'eau la plus fraiche qu'ils pourroient trouver, & s'en laver partout le corps ; cela fit qu'il en échappa peu de ceux qui l'avoient, si bien qu'en haine de cela, ou du regret d'avoir quitté la mer à cause de la pêche, ils allèrent solliciter les Sauvages de Canada à leur venir aider à chasser les Chrétiens de la Virginie, & leur promirent leurs plantations en récompense. Ils firent donc un corps ; les Chrétiens en furent avertis, levèrent des Troupes, attendirent en bon ordre cette armée de Barbares & la défirent dans une plaine qui est le long du fleuve de Rapahannak qu'on m'a montré. On fit mourir tous ceux du païs qu'on prit, & pour ceux de Canada on les vendit pour esclaves. On les a donc chassés bien avant dans le païs, & même il en resta peu [50]. Les Colonels de ces troupes s'approprièrent les plantations de ces sauvages, & se les firent mesurer ce qui fait que présentement il y a grandissime quantité de fons à vendre dans la Virgine & de très bonne terre.

Depuis alors on a retenu sur pied quelques Compagnies de Cavalerie & d'Infanterie aux Provinces Frontières qui vont faire la découverte deux jours de la semaine, quoi qu'il n'y aie pourtant rien à craindre, & on leur donne quelque paye en Tabac qui est une petite charge pour le païs. Lorsqu'on impose ce n'est point suivant la quantité des fons que l'on a, mais suivant le nombre des esclaves, de sorte qu'un homme

---

[50] On trouvera confirmation de ce détail dans P. A. Bruce, *Economic History of Virginia*, I, p. 188, mais sans indication de source. Comme le fait remarquer le « Virginian », Durand résume ici, à sa manière, et de façon peu satisfaisante, un demi-siècle de luttes contre les Indiens. Il paraît certain, en tout cas, que les Indiens de Virginie ne s'allièrent jamais aux « Sauvages du Canada ».

qui auroit deux mille acres de terre & n'auroit que neuf Esclaves ne payera pas tant comme un qui n'en aura que cent & qui en aura dix.

Ces Indes sont le refuge des gens qui ne sçachant comment gagner leur vie en Angleterre, se mettent sur un vaisseau. On les amène & pour leur passage on les vend. C'est aussi les galères d'Angleterre. Lorsque quelqu'un a commis un crime au dessous de la corde on le bannit & l'on le condamne à servir dans l'Amérique. C'est encore le refuge des banqueroutiers ; pour des femmes, c'est de même, la retraite de celles qui ont dérobé, ou qui n'ont pas eu en recommandation la chasteté & la modestie. Ainsi il n'y a pas à s'étonner si on a de la peine à trouver de l'honnêteté parmi la populace. Mais ce n'en est pas de même des gens de qualité ; ils y sont atirés par la bonté du païs, parce que parmi la Noblesse en Angleterre on donne presque tout le bien aux aînés, & ainsi les cadets n'ayant qu'un petit légat, il y en a qui se vont établir dans ce nouveau monde où ils vivent en grands Seigneurs avec peu de bien, & font profession de vertu & d'honneur. On fait la différence des esclaves qu'on achète, sçavoir qu'un Chrétien ne peut être esclave que cinq ans aiant vingt ans & au dessus, mais les Nègres & autres infidelles sont esclaves toute leur vie.

Il n'y a point de Seigneurs particuliers, chacun l'est dans ses Plantations. Les Gentilshommes qu'on appelle Chevaliers sont grandement honorés & respectés. Aussi sont-ils fort civils & honnêtes. Ils possèdent presque toutes les charges du païs qui sont les douze offices du Parlement, six colecteurs, l'emploi de Colonel de chaque Comté, & puis les Capitaines de chaque compagnie. Il n'est point nécessaire d'avoir étudié pour être du Parlement. Ils jugent les procès l'épée au côté. Monsieur Wormeley, dont je parlerai dans la suite est Conseiller, Colecteur du fleuve de Rappahannak, & Colonel de la même Comté.

C'est un païs de coutume. Ils ont des loys si équitables qu'ils n'ont presque point de procès. Il ne s'y parle ni de discussion ni de substitution. Lorsqu'un homme mange son bien il mange aussi celui de sa femme, & il est juste aussi, car les femmes y sont les premières à boire & à fumer. Ils sont presque toujours les uns chez les autres à se visiter, & ainsi pendant que nous autres en Europe avec notre droit écrit, passons la plus grande partie de notre vie en chagrin en dépence & en inimitiés qu'engendrent la longueur de nos procès. Les Indiens passent la leur à manger, boire, fumer ensemble sans avoir entre eux ni querelles ni aversions.

On y va vêtu de même qu'en France. On leur apporte presque tous les habits faits d'Angleterre. On ne voit personne de fluxionere, personne qui ait la goutte, & c'est le climat qui fait cela, car j'avois une fluxion sur la poitrine qui m'incommoda grandement, pendant le séjour que je fis à Londres, & en ce païs par la grâce de Dieu, j'en fus entièrement guéry.

C'est un païs si bon & si fertile, que lors qu'un homme a cinquante acres de terre, deux valets & une servante & quelque bétail, ni luy ni sa femme ne font jamais rien que se promener les uns chez les autres. La plupart ne prennent pas même le soin de voir travailler leurs esclaves, car il n'y a point de maison tant soit peu commode qui n'aye un Lieutenant qu'ils appellent qui est d'ordinaire un affranchy à qui ils donnent deux valets à commander. Ce Lieutenant se nourrit, travaille & fait travailler ses deux valets, & il a le tiers du Tabac, du Grain, & de ce qu'ils mettent en terre, & ainsi le maître n'a qu'à prendre ses portions à la récolte. Si on luy en baille trois ou quatre, il a proportion, & y a une loy que si un de ses esclaves se rebelle contre son maître lors qu'il le bat il est condamné à estre pendu, & s'il se rebelle contre son officier ou son Lieutenant, il est condamné à servir deux ans de plus. Cela fait que lors qu'un affranchi a achevé son service, quel salaire que vous luy voulussiés donner il ne sert plus, car il trouve de ces emplois de Lieutenant tant qu'il veut.

On y manie peu d'argent à la réserve des gens de qualité. Ils commercent avec leur tabac, comme si c'étoit de monnoye. Ils en achètent des fons, en arrentent, achètent du bétail, & comme ils ont de tout ce qu'ils veulent pour cette denrée, cela les rend si fainéans qu'ils se font apporter d'Angleterre des habits, du linge, des chapeaux, nippes de femme, souliés, outils de fer & clous, jusques à toutes sortes de meubles de bois, bien qu'ils en ayent de très beau pour travailler, & qui les embarrasse comme tables, chèses, chalis, cofres, garderobes, & généralement toute sorte de meubles pour la maison & la cuysine [51]. Cependant je vois que pourvû qu'on leur aportât du fer & de l'étain, ils se pourroient fort bien passer de tout le reste. Mais certes il faudroit que le païs fut habité par des Européens, & particulièrement par des François que le Roi a grandement rendus vigilans & économes, à cause des grandes impositions dont il les surcharge. Ils vendent dans cette colonie à plus de douze cens mille écus de tabac, sans parler de celuy qu'ils réservent pour leur commerce et pour leur usage, & cela est tous les ans, de sorte que si sur cela, ils n'achetoient que du fer, de l'étain, du sucre, des épiceries, & de l'eau de vie, on y marcheroit sur l'argent, car dans toutes les provinces il y auroit assés de meuriers pour faire de soye pour sa provision, mais dans celles du Midy, il y en auroit pour faire plus quatre fois qu'il ne leur en faudroit. Des laines & aussi fines qu'en Angleterre, ils en auroient de reste pour les habits qu'il leur faut, & pour les couvertures ; des castors, il y en a quantité pour faire des chapeaux, des cuirs pour faire des souliés encore plus que tout le reste, du chanvre pour faire des toyles, j'y en vis en arrivant d'aussi beau & d'aussi fin qu'on sauroit en trouver en Europe, qu'on laissa gâter après l'avoir

[51] La même accusation de « mauvaise économie » se retrouve dans Beverley, liv. IV, ch. 18.

arraché, parce qu'il n'y a pas une femme dans tout le païs qui sache filer. Pour la vie il y a encore abondamment de tout plus que d'autre chose, mais afin de ne me confondre, je parleroy premièrement des grains, ensuite des animaux, & finalement des arbres.

IX

DE LA BEAUTÉ & FERTILITÉ DE L'AMÉRIQUE

Le Nort de l'Amérique est naturellement un très beau païs, & pour la Virginie & le Marilan si vous jetés la vue sur les plaines vous les verrés toutes garnies d'arbres de haute futaye, de beaux vergers, de pommes, poires, cerises, abricots, figues & pêchers. Ce qui est dégarny de bois sont de belles prairies des fons remplis de tabac, de grains, de légumes & de tout ce qui est nécessaire pour la vie. Vous la voyéz après serpentée par ces quatre grands fleuves dont le cours tranquille & paisible ne vous laisse pas discerner de quel endroit ils coulent, sans se déborder jamais, & sans sortir de leur lit. Si après vous la levés contre les collines & les petites montagnes, elles ne vous offrent pas une perspective hideuse, comme les montagnes de Provence, de Gennes une partie de celles de Toscane, & une partie de celles d'Espagne qui ne vous présentent que des pierres, des rochers & une terre stérile destituée de bois & de verdure, mais des beaux bois, & là où ils sont coupés et arraché des beaux herbages, & d'agréables ruisseaux. Mais comme nous autres pauvres refugiés avons plus besoin de l'utilité que du délectable, je m'étendrai davantage sur la fertilité.

J'ai reconeu que la terre de la Virgine seroit grandement fertile pour tout ce qu'on y voudroit semer & planter, mais elle n'est pas également bonne partout. Dans la province de Gloster [52] qui est celle où j'ai le plus demeuré, parce que j'y avois une chambre & que nous y avions abordé, il y a environ demi pied de terre noire, en d'autres endroits un pied ; le dessous est du sable. Dans celles qui sont le long du fleuve de

---

[52] Gloucester.

Germinie [53] et au midy de Virgine, il y en a moins, & par conséquent sont moindres en rapport ; mais dans celles de Rapahannak ce que j'ai veu de celle de Stafort & particulièrement aux plantations de Monsieur Wormeley, il y en a plus d'un pied, & j'y ay veu de toutes sortes de terres comme en France, c'est-à-dire des grosses terres, des argiles, d'autres plus menues mêlées de petit gravier mais toutes noires pourtant ; pour celles du midy je connoissois que les troncs de leur Tabac étoient moins gros, les bâtons de leur bled sarrasin moins hauts & moins gros aussi, ce qui me faisoit connoître que leur terroir n'étoit pas si fertile. On y sème vulgairement du tabac, du bled sarrasin[54], du froment des pois ou aricos, de l'orge, des patates, des naveaus, qui y sont d'une grosseur monstrueuse & très bons[55]. Ils font après dans les jardins de même que nous en Europe ; pour du chanvre, du lin, il y vient très beau, mais comme j'ai dit cy-devant ils ne le savent ni accomoder ni filer. La terre est encore si propre pour les arbres fruitiers que j'ay vu des vergers qu'on me disoit n'y avoir pas dix ans qu'il étoient plantés, & je les trouvois plus gros & mieux avenus que les nôtres de l'Europe qui le sont depuis vingt ans[56].

Le froment rend vulgairement dans la Comté de Gloster dix pour un ; le bled Sarasin deux cens pour un ; pour les Païsans ils ne font qu'environ un boisseau de froment le chacun dans sa plantation qui est pour faire des pâtés, à cause de la grande abondance de la venaison & des pommes dont ils en font

---

[53] Probablement faute d'impression pour Gemrive, James river.

[54] Maïs ou *Indian corn*.

[55] On pourra trouver confirmation de ces renseignements dans Beverley (liv. II, ch. IV, et liv. IV, ch. XXII). Les naveaus sont naturellement des navets ; les « potatoes » ou patates dont parle ici Durand ne doivent pas être confondues avec les « pommes de terre d'Irlande ou d'Angleterre », ce sont les « sweet potatoes » connues en Louisiane et aux Antilles sous le nom de « patates douces ».

[56] « Les arbres fruitiers y viennent si vite, qu'au bout de six ou sept années qu'on les a plantez, on peut y voir un beau verger, avec quantité d'excellent fruit » (Beverley, liv. IV, ch. XXII).

aussi qui sont fort bons. Je leur disois pourquoi ils n'en faisoient davantage. Ils répondoient que c'étoit parce qu'il ne rendait que dix pour un, & leur bled sarrasin produisoit au moins du deux cens, & qu'il se portoient aussi bien avec ce pain qu'ils pourroient faire avec celui de froment[57]. Pour de l'orge ils en font peu, il rend dix-huit pour un, car ils font si grande quantité de cidre, & qui est même tout autre que celui de Normandie que s'ils étoient bon ménagers au bout de l'année ils en auroient toujours de reste. Le bled sarrasin y produit jusques à cinq cens pour un en des endroits qu'il y a, chose qui m'auroit paru incroyable si je ne l'avois veu. Il fait du pain blanc comme du papier, bon au goût, mais un peu pesant à l'estomac pour ceux qui ne sont pas accoutumés ; il ne se peut pas étendre pour en faire des pâtés. Pour le faire lier ils portent de l'eau à la porte du four où ils le repétrissent ; après qu'il est cuit, il se coupe de même que l'autre [58] comme la plupart ne le moulent que dans des Moulins à bras étant passé & ayant pris la fleur pour en faire du pain il reste des grains comme des petits ris, desquels ils font du potage qui est excellent au goût, mais un peu pesant à l'estomac. C'est de ce potage qu'ils nourrissent leurs esclaves, & ils leur coûtent si peu d'entretenir, particulièrement les Nègres, qu'ils ne leur baillent en des endroits du pain & de la viande que le jour de noé [59]. Ils ne savent que c'est de labourer la terre avec du bétail. Ils fossent tout, bien qu'elle y seroit de si facile labeur, n'y ayant aucune pierre, qu'un cheval

---

[57] Beverley dit que « on croit avec raison, que ce seroit un peu trop de fatigue pour un seul homme, de semer du froment, de le moissonner, de le moudre, d'en bluter la farine, et d'en faire du pain » (liv. IV, ch. XXII).
[58] Il s'agit naturellement de l'*Indian corn*, le blé d'Inde ou maïs, et non du blé noir. Durand décrit ici assez exactement la fabrication du corn pone que, suivant Beverley, les gens du commun et même quelques gentilshommes préféraient au pain de froment. Le corn pone est encore aujourd'hui un des aliments caractéristiques du Sud. Beverley ajoute que pone n'est pas un mot qui vienne du latin panis, mais du mot indien oppone (liv. IV, ch. XVII).
[59] Noël.

seul y laboureroit partout[60]. Il y en a qui auront des cent vaches ou bœufs, trente chevaux qu'ils ne s'en servent que pour monter, à la réserve de quelques plantations qui sont un peu éloignées de la mer & des fleuves qui s'en servent pour traîner la charrette. Le bois leur est si commode que leurs esclaves le charrient tout sur le col ; cela me fait dire & avancer que si j'étois habité en ce païs, pourveu que j'eusse deux valets une charrue de deux vaches, & une de deux chevaux je me vanterois de faire plus de travail qu'un seul de ce païs qui auroit huit puissans esclaves.

L'abondance de bois qu'ils ont fait qu'ils font des clôtures tout autour des fons qu'ils cultivent. Un homme qui aura cinquante acres de terre, & les autres à proportion en laissera vingt-cinq en bois, & des autres vingt-cinq il en cultivera la moitié, & à l'autre moitié il laisse manger & coucher son bétail. Après quatre années il change ses clôtures dans cette moitié qui a eu le temps de se reposer, & de s'engraisser, & ainsi ils sèment tout les ans ce qu'ils font valoir[61]. Ils sèment leur froment à la fin d'Octobre & au commencement de Novembre, & leur bled sarrasin dans la fin du mois d'Avril.

C'est le bled le plus commode pour la moisson, car ceux qui en ont besoin commencent à en faire du pain au commencement de Septembre & n'achèvent de le recueillir qu'à la fin de Novembre. On n'en fait guère qu'un boisseau ou la plantation seroit grande, ce boisseau contient une

---

[60] Les premiers colons semblent avoir emprunté les méthodes primitives des Indiens. Les arbres une fois coupés, on se contentait de creuser des trous au hoyau, pour y planter à la main les grains de maïs ; c'est ce que Durand appelle « fosser ». Les souches des arbres auraient rendu le labourage régulier fort difficile. Même à la fin du dix-septième siècle les charrues étaient relativement rares en Virginie. Voir P. A. Bruce, *Economic History*, vol. I, p. 463.

[61] On trouvera la confirmation de ce détail dans les *Records of Rappahannock County*, vol. 1680-1688, p. 200, cité par Bruce, *Economic History*, vol. I, p. 462.

grande étendue de terre, car ils en mettent quatre grains dans un monceau & laissent un vuide de quatre pieds & après en mettent encore quatre. Cet espace est nécessaire pour sa nourriture, car il fait des grandes racines, des bâtons de la grosseur de trois pouces & de sept à huit pieds de long. Ils en mettent cette quantité afin qu'il se soutienne l'un l'autre contre les vens. Ils sèment encore deux grains d'Aricos qui sont excellens auprès de ces quatre grains, & ces bâtons leur servent d'échalas pour monter. Ils replantent leur tabac dans le mois de May, & laissent une distance de trois pieds d'une plante à l'autre. Ils en consument une grande quantité dans le païs outre celles qu'ils vendent. Tout y fume en travaillant & lors qu'on est oisif. J'allois quelquefois au prêche ; leurs églises sont dans le bois, lorsque tout y est arrivé, le Ministre & tous les autres fument avant que d'entrer. La Prédication achevée, ils font la même chose avant que séparer. Ils ont des sièges pour ce sujet. C'est là que je voyois que tous fument, hommes, femmes, filles & garçons depuis l'âge de sept ans.

Le bled sarrasin rend dans la Comté de Rappahanak & dans la comté d'Estafort quatre à cinq cens pour un & le froment quinze à seize. Ce qui me le persuade outre qu'on me l'a assuré, c'est que j'y en ay veu qu'on n'y avoit pas encore recueilly qu'à chaque cane ou bâton il y a jusques à deux ou trois épis ; & partout ailleurs à chaque bâton je n'ai veu qu'un seul. Pour ce qui est du froment je vis dans les plantations de M. Wormeley toutes les vaches, chevaux & brebis dedans ; j'y étois aux fêtes de Noël, je lui dis que cela le gâteroit. Les valets me répondirent qu'ils les y laissoient jusques au quinzième de Mars, & que s'ils ne le faisoient amaigrir ils n'avoient que de la paille.

Il y a des gens fort bien logés en ce païs, les maisons des païsans sont toutes de bois, les couverts sont faits de petites planches de châtaignier & les murailles de même. Ceux qui ont un peu de commodités les revêtissent par dedans avec du mortier, dont la chaux est faite d'écailles d'huître, & cela est blanc comme la neige, si bien qu'elles paroissoient vilaines par dehors, car on ne voit que du bois, mais en dedans elles sont fort agréables, toutes bien vitrées & bien percées. On y fait déjà quantité de briques, & j'y en ai veu plusieurs maisons dont les murailles en sont toutes, de quelle condition qu'on soit, & je ne sçai pas la raison, ils ne font que deux chambers à plain pied & quelques cabinets avec une ou deux chambres Jacobines au-dessus, mais ils en font plusieurs comme cela selon leurs moyens. Ils font aussi une cuisine séparée, une maison pour les esclaves chrétiens séparée de même, une pour les esclaves nègres ; & plusieurs pour faire sécher le Tabac, de sorte qu'en arrivant à la maison d'une personne un peu commode, vous croyez d'entrer dans un assez grand village [62]. D'escuries on n'en fait point, car ils n'enferment jamais le bétail. Il ya a même peu de ces maisons qui ferment à clef, parce que on n'y dérobe rien. L'on peut faire deux cent lieues avec un plein chapeau de pistoles sans craindre qu'on vous en prenne une. Lorsque les femmes font la lessive si elles ne la sèchent pas le même jour, on la laissera jusques à trois jours & trois nuits dehors. On y punit si sévèrement le larcin que si un homme étoit convaincu d'avoir dérobé une poule il seroit pendu. Tout leur bétail couche de même par les bois sans qu'ils appréhendent d'autres larrons que les loups, mais pour ceux là ils ont des bons chiens, outre que si quelqu'un en tue un, le païs lui donne un tonneau de tabac, qui fait qu'ils sont fort recherchés.

---

[62] Beverley discutant l'architecture des premiers colons ajoute que si l'on ne fait pas les maisons d'une hauteur excessive, c'est que « l'on n'y manque pas de terrain pour y bâtir en long et en large, et qu'on y est exposé quelquefois à de gros vents qui mettraient en danger une fabrique trop élevée ». Si les « offices », comme « la cuisine, le lavoir, la laiterie sont détachez du corps de logis », c'est tout simplement pour éviter « les mauvaises odeurs ». Enfin, « le toit des maisons où l'on habite est couvert d'ordinaire avec des morceaux de bois de cyprès ou pins » (Beverley, liv. IV, ch. XVI). Ce sont les « shingles » encore fort employés aujourd'hui, malgré le danger évident en cas d'incendie. Voir aussi P. A. Bruce, vol. II, ch. XII, p. 150 et suiv.

Mon hôte n'avoit que deux petits valets point de servante, il acheta une de ces effrontées qui vindrent avec moi qui y a même toujours été malade de leur travail. Il recueillit dix boisseaux de froment, deux cens boisseaux de bled sarrasin, il en avoit semé un boisseau de chacun, quinze boisseaux d'Aricos, beaucoup de Patates, peut-être cinquante boisseaux de Naveaus si on les avoit mesurés, & douze Tonneaux de tabac qui font soixante quinze quintals, que je luy ay veu vendre onze écus le tonneau, & il n'y avoit jamais été si bon marché. On fait le tonneau de 500 livres.

X

DES ANIMAUX TANT DOMESTIQUES QUE SAUVAGES

Pour les animaux domestiques ils sont tout à fait semblables à ceux de l'Europe. On élève quantité de Chevaux, de Bœufs, de Vaches, des Moutons, des Cochons, des Coqs d'Inde, des Oyes, des Canards, des Poules, le tout sans qu'il en coûte rien de nourrir ni de garder. On ne sçait ce que c'est que de faucher du foin, tous ces Animaux vont paître dans les bois, ou dans ce qu'ils laissent reposer de leurs plantations où ils se retirent toutes les nuits plutot par instinc que par aucun soin qu'on en prend. L'herbage vient si bien en ce païs que la même année qu'ils laissent reposer leurs fons le pré y est aussi touffu qu'en Europe après quatre ou cinq ans, ce qui rend même leurs domaines plus agréables. Pour des pigeons je n'en ai veu que chez des gens de qualité, les païsans méprisent de si petits animaux. Sur la fin du mois de Janvier la neige y demeura trois jours & le vent de Nort continua de sorte qu'il y faisoit grand froid, mais ils n'en eurent pas plus de compassion de leur bétail, je les voyois le matin tout couverts de neige, & tremblans de froid qui ne mangeoient que du bois de l'herbe étant couverte. Aux cochons ils donnoient de bled sarrasin, avec tout cela je n'en vis point mourir. Toutes leurs volailles couchent sur des arbres qu'ils ont autour de leurs maisons. Pour obliger les vaches à se retirer afin d'en avoir le lait, on tient leurs veaux enfermés dans un verger, on leur en tire ce qu'on veut & après on leur laisse téter le reste. On y fait d'excellent beurre, mais pour du fromage ils n'y font rien qui vaille. Si leur bétail est mal soigné aussi n'a aucune peine, à la réserve de leurs chevaux.

Quand ils ne seroient qu'à cinq cens pas de l'église, ils les montent pour y aller. Pour ceux que l'on mange quelle multiplication qu'ils fassent ils y mettent bon ordre, car il n'y a point de maison si pauvre qui ne mette au saloir un bœuf, une vache & cinq ou six gros cochons. Les femmes ne mènent jamais leurs chevaux qu'au galop en voyageant étant assises dessus ; j'étois emerveillé comment elles se peuvent si bien tenir.

Pour des animaux sauvages, il y a si grande quantité de Cerfs, de daims que vous ne pouvez guère entrer dans aucune maison qu'on ne vous en serve de la viande. Elle est très bonne en pâté, bouillie & rôtie. Il y a aussi des Ours, mais non pas en grande quantité ; il y a des castors et des racons, dont la viande est excellente. Il y a des lièvres qui sont quasi minimes ; les lapins ne diffèrent guère de ceux de l'Europe. Il y a des escurieus volans, ils sont faits comme les autres mais ils ont des ailes de peau comme les chove-soris. Pour des oiseaux il y en a une abondance prodigieuse, & pour commencer par les plus gros on y trouve beaucoup de coqs d'Inde sauvages ; ils pèsent trente-cinq à quarante livres. Pour les Oyes sauvages on en voit sur le rivage de la Mer, & sur le bord des fleuves des troupes de plus de quatre mille à la fois. Elles sont aussi plus grosses que les domestiques & presque noires. Des Canars on en voit plus de dix mille en troupes. Il y a aussi beaucoup de Tourterelles de tourdres et de grives. Des Perdrix si grande quantité qu'elles viennent dans les bassecours, plus petites que celles de l'Europe, mais d'un même goût. Tous ces Oiseaux sont dissemblables en plumage aux nôtres de l'Europe, & je n'y ay en point veu qui soit de même que les Corbeaux & les Merles. Ils sont aussi depuis les gros canards en soubs à couvert de la poursuite des chasseurs, & même pour ceux là ils ne leur tireroient pas s'ils n'étoient assurés d'en abattre trois ou quatre avec un coup de fusil. Il y a quantité de petits Oyseaux que nous n'avons pas en Europe. Les uns gros comme des Aloiètes entièrement rouges, d'autres petits comme des Moyneaux tous bleu ; & d'autres qui ne sont pas plus gros qu'une grosse mouche, dont le plumage est de la couleur de l'arc en ciel. Ce petit animal ne vit que de la rosée ou du suc des fleurs odoriférentes, aussi a-t-il une odeur si agréable qu'on me disoit qu'il y étoit venu des Anglois qui en accommodoient les fesant sécher dans un four, & les vendoient en suite en Angleterre jusques à huit livres sterlin la pièce à cause de leur excellente odeur. Il y a aussi des Mouches à miel, ils font des chandelles de la cire, & mangent le miel.

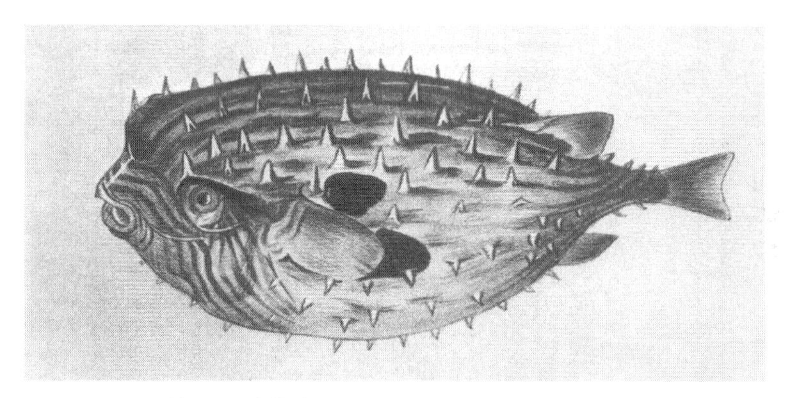

Figure 5: Poisson du Nouveau Monde

Pour des poissons ils en ont aussi une quantité estrange, il y a tant de ces huitres à l'écaille que presque tous les samedis mon hôte prenoit envie d'en manger. Il ne faisoit qu'envoyer un de ses valets avec un de ces petits bateaux ; dans deux heures après le reflux, il l'amenoit tout plein. Ils ont de ces bateaux faits d'un arbre seul creusé par le milieu qui portent toujours jusques à quatorze personnes, & vingt cinq quintals de marchandise.

XI

DES ARBRES DE LA VIRGINE

La terre de ce païs est entièrement couverte d'Arbres à la réserve des fons que l'on cultive où on les a coupé. Il y a aussi des grands vuides à vint ou vint-cinq lieuës de la Mer, & ce sont autant de belles prairies qui étoient les plantations que les sauvages occupoient il y a six ou sept ans. Il y a grand plaisir de promener dans ces bois. Les Arbres ne sont point branchus en bas, ils sont longs et droits, leur branchage est plus haut ; il n'y a point non plus de buissons ni de broussailles par dedans aucunes pierres, tellement qu'on y étoit librement partout en calèche.

Le long de la Mer il y a quantité de pins prodigieusement longs & droits, on en fait des mâts des navires. Ils ont la feuille fort longue, il y a des chênes verts, des autres chênes comme ceux que nous avons. J'en ay veu plusieurs qui portent du guy. Il y a encore beaucoup de châtagnies trois sortes de noyés, ils ont tous le feuillage & le bois diférent de ceux de l'Europe. Les nois ne se peuvent pas cerner, mais elles seroient très bonnes pour faire de l'huyle [63]. Il y a aussi des Cèdres mais non pas si beaux que ceux de la Caroline. C'est un bois incorruptible, très beau pour faire des meubles, il y a encore quantité de peupliés, le bois est fort propre pour faire des planches. On y trouve aussi de ces arbres qui portent le poyvre long. Il y a aussi abondance de meuriés principalement aux Provinces du Midy. Il y a encore quantité de certains autres arbres qui portent un fruit gros comme des

[63] Probablement le noyer noir, *juglans nigra*, dont Beverley dit que la noix est « fort huileuse et a le goût rance » ; — « elle est enfermée dans une coquille épaisse, dure et sale, qui ne se détache pas si nettement de sa première enveloppe que les noix de France » (liv. II, ch. IV).

pommes. Il est excellent au goût & très agréable à la veüe[64]. Il y a aussi des figuiés qui portent des figues noires, rouges & blanches ; pour des vignes il s'en trouve beaucoup le long du rivage de la mer & des fleuves plus que si on s'avance dans les bois. Elles embrassent cinq ou six arbres tout au tour ; elles portent quantité de raisins, mais le grain en est petit comme une chose qui n'a jamais été émondée ni cultivée. J'en trouvai encore quelques Lambruches proches de ma chambre. Je les fis cueillir à mon valet, j'en fis dix ou douze pots de vin que je laissai bien boüillir, il étoit très bon. Mais la plus grande quantité que j'en aye veu, c'est dans la Comté de Rappahannak & d'Estafort, principalement aux plantations de Wormeley, le long du rivage du fleuve du côté du Midy. Il n'est point cultivé, & les sauvages laissoient des pechers, des pruniers, le reste du bois y est coupé, de sorte que ces vignes ayant embrassé les arbres qu'elles ont trouvé, n'y en ayant plus elles se sont étendues de long de la terre dans les pierres, & se sont enterrées elles-mêmes, si bien que cela ressemble des vignes qu'on y a planté, & à l'autre rive du fleuve c'étoit la même chose, mais comme il y a fait des plantations, les valets me disoient qu'ils y en avoient arraché plus de vingt charetes pour y planter de Tabac. Il s'y prendroit donc de bon vin en arrivant & émondant & cultivant ces outins[65], on en prendroit du moins pour son usage, & cependant on

---

[64] Probablement le « persimmon tree », *diopyros Virginiana*, dont le fruit d'une belle couleur orangée n'est excellent au goût « qu'en automne, lorsqu'il est blet ».

[65] Probablement « aoûtains », branches de vigne que l'on couche en terre après la maturation du bois au mois d'août pour en faire des provins. Beverley ne distingue pas moins de six espèces de vignes, poussant avec une exubérance extraordinaire, surtout dans les endroits où les arbres ont été coupés (liv. II, ch. IV). Il rappelle aussi comment dès 1622, on avait fait venir quelques vignerons français du Languedoc qui écrivirent à la compagnie une sorte de rapport sur les vignes du pays. Les réfugiés qui, à la fin du dix-septième siècle, s'établirent à Monacan essayèrent eux aussi de développer la culture raisonnée de la vigne (Beverley, liv. II, ch. IV). Durand, à maintes reprises, a insisté sur la vigueur des vignes sauvages et sur les chances qu'auraient de vrais vignerons de faire de fort bon vin.

pourroit planter des vignes basses, dont le vin seroit beaucoup meilleur, & ce seroit un très bon revenu. Pour des Poires, des Pommes, des Serises, des Abricos, des Pêches chacun en a beaucoup dans ses plantations. Pour des Oliviés je n'y en ay point veu, mais si on y en faisoit aporter ils y réussiroient, car ils viennent partout où croit le chêne vert.

Je ne dis rien en particulier de Marilan, parce que c'est une même terre, mêmes arbres ; tout ce qu'il y a c'est qu'il diffère un peu en chaleur étant au Nort de Virgine.

XII

SEPTIÈME VOYAGE

DESCENTE DANS LA COMTÉ DE GLOSTER.

L'endroit où nous abordâmes fut dans la Comté de Gloster, un des plus beaux lieux de toute la Virginie, mais il n'est pas le plus sain ni le mieux peuplé d'honnêtes gens. Aussi n'y a-t-il aucunes personnes de condition. Ce François me vint prendre au vaisseau pendant sept à huit jours avec son petit bateau, mais n'ennuyant de cela, je voulus prendre une chambre jusques à ce que le vaisseau fût racommodé. On m'en demanda quatre écus par mois, ce qui me fit résoudre à rester dans le navire, mais au bout de quelques jours comme on eut mis un autre mât sur la proue, il prenoit si abondamment l'eau qu'il falloit deux hommes aux trompes nuit et jour pour la tirer, de sorte qu'on fut contraint de le faire eschoüer sur le sable à la faveur du reflux pour le renverser, & comme le défaut étoit au fonds, il fallut décharger les marchandises pour le faire aborder plus près du rivage. Alors il me fut de nécessité de louër une chambre à quel prix que ce fût pour y mettre mes meubles. Je fus contraint d'en donner deux écus et demi par mois. Aussi bien ce François me menoit dans les maisons ; c'étoit le temps qu'ils avoient fait leur cidre. Il faloit boire partout si copieusement que quand ils seroient vingt, ils boyvent tous à un étranger, & il faut faire raison à tous. Ils boivent encore quelques bouteilles de ce rom qui est beaucoup plus violent que l'eau de vie. Lorsqu'ils n'étoient pas yvres, ils me laissoient boire à ma fantaisie, & ainsi je ne faisois le plus souvent que baiser le verre, mais quand ils étaient saouls ils vouloient que je beusse comme ils me le bailloient. Cela m'ennuyoit tant que dès que j'eus une chambre je n'y allois plus. Ce cidre me faisoit du mal, & je crois que c'étoit parce qu'il étoit trop nouveau. Leur eau me faisoit mal aussi, de sorte que le temps me duroit beaucoup. On travailloit bien au vaisseau sans relâche, mais ce défaut qui se trouva au fonds retarda, outre qu'il étoit si endommagé, que tout le monde étoit étonné comme il nous avoit pu rendre jusques là.

Quatre ou cinq jours après que je fus retiré, Monsieur Ysné qui s'étoit fait mettre à terre dans la comté de Gemrive avec ces autres marchands apprit le naufrage que nous avions fait, & notre arrivée à Point Comfort dans la comté de Gloster, car le quartier où j'étois se nommoit ainsi. Il alloit chez Monsieur le Gouverneur, il eut la bonté de se détourner de cinq à six lieuës pour me venir voir, & pour me dissuader du dessein que j'avois fait d'aller dans la Caroline. Il m'en dit des choses que je n'écris pas, parce que je ne les crois pas véritables. Il ne les avoit pas néanmoins inventées, car une partie de ceux que j'avois veus avant lui m'en avoient bien dit autant, mais il ne put rien obtenir sur moi, & y ayant couché il me quitta dans la croyance que nous ne nous reverrions jamais, & nous nous embrassâmes avec beaucoup de tendresse.

Tous ces raports désavantageux qu'on nous fit de cette Caroline rebutèrent encore deux Marchands que nous avions avec ce Charpentier. Ils avoient persisté jusques là parce que leur passage étoit payé, mais on leur en dit tant qu'ils retirèrent tout ce qu'ils avoient, & se placèrent comme ils peurent dans la comté de Gloster. Ce Capitaine vendit aussi toutes ces filles pour du Tabac[66], & tous ces garnements qui

---

[66] Ces transportés formaient l'objet d'un véritable commerce ; malgré les efforts tentés à plusieurs reprises pour le régulariser, les abus étaient flagrants. Voici les conclusions de P. A. Bruce sur ce sujet : « The big body of servants procured by the merchants by legitimate methods or methods wholly illegitimate, were annually exported as a mere species of marchandise which, like the remainder of the cargo, was to be exchanged for the principal commodity of Virginia, subject to all risks attending the fluctuations in the price of tobacco (*Economic History*, I, p. 621).

lui restoient, car il en étoit mort quelques-uns sur la Mer. Ainsi je me vis seul à faire le voyage avec ce brutal mais l'envie que j'avois d'être avec des François me fit surmonter toutes ces difficultés. J'étois logé le long de la mer, je voyois que ces habitans de mon voysinage portoient si mauvais visage que cela me faisoit bien juger que leur païs étoit malsain. Ces honnêtes gens qui me forçoient à boire de leur cidre malgré que j'en eusse, si j'en voulus acheter me le vendoient six sols le pot et entr'eux ils se le bailloient pour deux, de sorte que comme aussi bien il me faisoit mal, je ne beuvois que de l'eau. J'y étois assez accoutumé si elle avoit été bonne, car il y avoit deux mois & demy que je ne beuvois autre chose.

Finalement après cinq semaines qu'on eut employé à raccommoder le Navire, le Pilote vint dans nôtre Logis & me dit que nous partirions dans deux jours. Je me disposois donc le lendemain à y faire porter mes hardes malgré ma foiblesse & une langueur qui m'incommodoit grandement ; mais ce soir même je pris la fièvre, & lui dis que je n'étois pas en état de me remettre en Mer ce qu'il voyoit très bien. Il partit donc dans le temps qu'il m'avoit dit, & Dieu voulut que trois jours après elle me quitta & je fus comme auparavant avec la même foiblesse, mais je quitai le lit & me promenois.

Monsieur Ysné qui ne prévoyoit pas ce qui lui devoit arriver chez Monsieur le Gouverneur s'étoit détourné en cas qu'il me peut gagner pour m'obliger à m'aller loger chez lui, & ainsi il me dit qu'il s'étoit mis en pension chez Monsieur Servent de la Rochelle[67], qui étoit un fort honnête François, habité depuis trente cinq ans dans la Comté de Gemrive.

---

[67] Bertrand Servant, naturalisé en 1698, est indiqué comme ayant alors 66 ans et avait à cette date résidé trente huit-ans dans le comté d'Elizabeth (William and Mary Quarterly, XXVII, p. 136). En 1686, il avait donc 54 ans. Il résidait à Downes Fields, près de Old Point Comfort. Son testament fut « approuvé » en 1707 ; il serait donc mort à 75 ans.

Lorsque je faisois des Reflections sur ma destinée, & que je venois à me représenter le naufrage que nous avions fait à la veüe de la terre de Caroline, les avertissemens qu'on m'avoit donnés de toutes parts, les persuasions de Monsieur Ysné d'abandonner ce dessein, et finalement une fièvre que Dieu m'envoie & qui me tient autant de temps qu'il en falloit pour me faire perdre l'espérance d'aller dans ce Navire, j'avoue que je creu dès lors qu'il y avoit du Ciel dans tous ces empêchemens mais j'en fus bien encore mieux persuadé, environ deux mois après que nous apprîmes que ce vaisseau s'étoit perdu sur le même golphe en y allant. Je ne m'obstinai donc plus à vouloir aller en ce païs, & je reconnus que Dieu m'appeloit ailleurs. Cependant je m'ennuois grandement, je n'avois de conversation avec personne, à cause du langage, outre que quand je les aurois entendu je n'en aurois été guère mieux, parce qu'il n'y avoit dans ce quartier que des païsans qui sont même la plus grand canaille de toute la Virgine. Je résolus donc d'aller trouver Monsieur Ysné, & si je voiois lieu de m'y arrêter d'envoyer quérir en suite mes hardes. Par terre il y avoit trente lieües, par mer il y en avoit moins, mais je ne voulois pas faire la dépense de m'y faire porter seul, car on me demandoit trois pistoles. J'étois trop foible pour entreprendre le voyage à pied, je me promenois donc tout le long du rivage dans les plus agréables promenoirs du monde.

Je m'écartois même assez loin. J'avois un valet qui n'avoit que vingt ans, il commençoit à parler Anglois, je demandois partout si quelqu'un alloit par mer à la comté de Gemrive ; je m'aperceus en me divertissant de la sorte que la nature s'étoit délectée à donner à ces païs des beautés qui leur sont très utiles, qui est que la mer s'étend de temps en temps dans la terre par des petits bras de cent cinquante ou deux cens pas de large. Il y en a le long du rivage qui avanceront jusques à demi-lieue, d'autres moins. Les Indiens se sont habitués tout le long, ils les appellent des Criks. Aux uns il n'y a qu'une plantation de chaque côté du Crik, aux autres qui avancent davantage il y en aura cinq ou six. Ce qu'ils appellent la

Rivière de Nort est un bras de la mer de Bées, qui avance cinq lieuës dans la Comté de Gloster, & en a trois de large. Il donne les mêmes utilités aux habitans. Les quatre fleuves font la même chose tout le long de leur source. Il est vrai que les Criks que font les fleuves sont moins fréquens, mais aussi ils sont bien plus longs, car j'y en ai veu qui avancent les deux lieux dans la terre. Cela fait que leurs maisons les plus éloignées ne le sont pas plus de cent ou cinquante pas de ces Criks & à la faveur du reflus, non seulement ils se visitent dans leurs petits bateaux, mais ils transportent tout les uns chez les autres par cette voye, & ainsi leurs chevaux & leurs bœufs ne font jamais rien à la réserve que quand ils en prennent la fantaisie ou qu'il fait grand vent, ils vont par terre & montent à cheval. Ce sont aussi autant de petits hâvres pour les chaloupes qui viennent charger leurs tonneaux de tabac.

Après une recherche de plusieurs jours je trouvai finalement un homme dans mon voisinage qui alloit dans la Comté de Gemrive, à deux lieues de Monsieur Servent, c'est ainsi que se nomme ce François où Monsieur Ysné s'étoit logé. Il se trouva même si honnête qu'il ne vouloit point d'argent pour m'y porter ; nous arrivâmes dans cette province à la pointe du jour. On manda incontinent à un Normand qui avoit achevé son service, lequel étant arrivé me mena chez ce Monsieur Servent. Je trouvai un homme fort bien fait, il avoit même quelque charge dans le païs. Je lui demandai d'abord si Monsieur Ysné n'étoit pas logé chez lui, il me dit que puisque je ne le connoissois que par Monsieur Ysné, il m'apprendroit en peu de mots ce qui étoit arrivé.

Il me raconta donc qu'ayant demeuré près de cinq semaines dans la maison, il se promenoit un jour avec luy le long du rivage, où ils rencontrèrent un des domestiques de Monsieur le Gouverneur, qui aportoit quelque ordre aux vaisseaux de guerre qui se tiennent tout proche de là au Cap de Bées. Il fut reconnu par ce domestique, il essaya bien de luy persuader qu'il étoit marchand, & qu'il n'étoit rien moins que celuy pour qui il le prenoit. Ce garçon fit bien semblant de s'estre abusé, mais il ne manqua point dès qu'il fut rentré de dire à son maître qu'il avoit vu Milor Parker dans la Comté de Gemrive, où il passoit pour un Marchant, & se faisoit nommer Monsieur Ysné. Monsieur le Gouverneur pour s'asseurer de la vérité luy manda dès le lendemain comme s'il l'eût crû Marchant, qu'il avoit apris qu'il avoit fait décharger ses marchandises sans avertir, & qu'il vouloit sçavoir par quelle raison il avoit ainsi contrevenu aux règlemens du païs, qu'il ne manquât point de l'en venir informer incessamment lui même. Monsieur Ysné s'y en alla donc, il fut reconnu & Monsieur le Gouverneur lui fit promettre d'aller loger chez luy, & ne luy donna que le temps de venir prendre ses hardes[68]. Il luy bailla des chevaux & des valets pour l'accompagner, & m'écrivit un billet à son inceu, par lequel il me marquoit de rendre à Monsieur Ysné les déférences qui étoient dûës à Milor Parker, puisque c'étoit lui-même. Il vint donc faire prendre ses hardes, & luy ayant aidé à se défaire à vil prix de quelque Marchandise qu'il avoit encore, il en est party & s'est allé loger dans la comté de Mildesse, près de quarante lieues loin d'icy. Monsieur Servent ayant achevé son discours, je luy répliquai qu'asseurément j'avois trouvé des qualités & des perfections en Monsieur Ysné, ce qui me forçoit à me persuader qu'il étoit quelque chose de plus qu'il ne disoit, & que si pendant nôtre voyage je n'eusse esté préoccupé par une trop grande affliction lors qu'il m'entretenoit sur la mer des familiarités qu'il avoit eu estant à Grenoble avec une des plus belles Demoiselles de notre province & de qualité, j'en aurois sans doute soubçonné quelque chose, mais dans le temps qu'il m'en parlait j'étois si

[68] Il s'agit ici de Fort James, établi en 1667, et rebâti en briques en 1672. En 1668, d'après John Clayton, c'était « une sotte espèce de fort, constitué par un mur de briques en forme de demi-lune » — « a silly sort of a fort, that is a brick wall in the shape of a half moon ». Selon les recherches faites par l'éditeur de *A Frenchman in Virginia*, il semble certain que les canons que vit Durand n'étaient pas encore montés.

prévenu que je n'y avois fait réflexion qu'estant à terre réduit dans ma solitude.

Je n'arrêtay qu'un jour & demy chez Monsieur Servent, parce que sa femme étoit malade. Je ne songcay plus à me loger chez luy dès que j'eus appris l'aventure de Monsieur Isné, de sorte que je m'en retournay sur mes pas trouver mon conducteur. Je le rencontray avec sept ou huit de ses amis ; il étoit de cette province, & y étoit venu visiter ses parens. Ils me dirent tous qu'il faloit faire la débauche sept ou huit jours avec eux, & qu'après cela, il me ramèneroit dans son bateau. Ce n'étoit point là mon inclination. Je trouvay ce Normand dans leur troupe, je pris la route qu'il me faloit tenir pour me retirer par terre, & m'ayant nommé la maison où je pourrois aller coucher & bien indiqué le chemin, je les quitay.

On voyage fort commodément & à bon marché en ce païs. Il n'y a point de cabarés ; partout où j'allois j'étois le bienvenu. On me donnoit de bon cœur à manger & à boire ce que l'on avoit, & si je couchois dans quelque maison où il y eût des chevaux, on m'en bailloit le lendemain pour faire la moitié de la journée[69]. Ma maigreur me servit même, car asseurement en France j'aurois eu bien de la peine à faire deux lieües à pied, & icy comme j'étois bien efflanqué, j'en faisois librement six ou sept. Il est vray qu'on va toujours en plaine dans les bois ou dans les prairies, sans trouver aucuns caillous ni aucune boüe qui vous incommode. Je traversai donc trois de ces Provinces du midi, je vis qu'il y avoit quantité de meuriers & connus que leur terroir étoit

[69] L'hospitalité du Sud, tradition chère aux vieilles familles, remonte donc aux origines même de la colonie. « Les habitans sont si honêtes envers les Voiageurs, que ceux-ci n'ont besoin d'aucune recommendation auprès d'eux. Un Etranger n'a qu'à s'informer sur la route, de la Maison de quelque Gentilhomme, ou de toute autre personne qui tient bonne table, il y peut aller librement & à coup sûr il y sera bien traité… Il n'est pas jusques aux plus pauvres, qui ne veillent souvent une nuit entière, ou qui ne couchent sur un banc, ou sur une chaise, pour donner le seul lit qu'ils ont à un Voiageur fatigué » (Beverley, liv. IV, ch. XXI).

beaucoup moindre en raport que celui de la Comté de Gloster, par ce qu'il est plus sablonneux. Je passay le fleuve d'York vis à vis d'un fort de Brique, où il y a 20 à 25 beaux Canons[70]. La maison des Gouverneurs est tout proche de là mais celui-cy ne s'y tient plus parce que l'esté dernier il y perdit dans deux mois Madame sa femme, deux pages & cinq ou six valets ou servantes, ce qui l'a obligé de s'aller loger chez Monsieur Vuormeley[71] dans la comté de Mildessex, à 16 ou 18 lieües de cet entroit, où il se porte fort bien. Estant au delà du Fleuve, je me trouvay dans la province de Gloster à huit lieües de Point Comfort, où je me retiray comme je peus estant grandement fatigué d'avoir fait ces trente lieues à pied.

Quelques jours après que je fus retiré dans ma chambre, un François brave garçon qui estoit d'Abeville en Picardye, ayant achevé son service avoit gagné quelque chose en servant de Lieutenant. Il se maria à deux lieues de mon logis, & comme il m'avoit déjà esté voir, il me vint inviter à son mariage. Il se fit de la Religion & il épousa une brave fille d'une fort honneste famille. Il m'envoya donc le jour de ses nopces deux nègres de son beau père avec un bateau, & je m'y en allai par eau. Les Indiens[72] font des grandes réjoüissances

---

[70] Le gouverneur était alors Francis Howard of Effingham, qui résida dans la colonie de 1683 à 1688, et dont le frère aîné commanda la flotte contre l'Armada. A plusieurs reprises il s'est plaint des maladies que causaient la chaleur de l'été et avait l'habitude de chercher « some more healthy climate » pendant la canicule (P. A. Bruce, *Economic History*, I, p. 139). Sa première femme mourut en effet en Virginie le 31 août 1685 (*A Frenchman in Virginia*, p. 131).

[71] Note Ampelos : M. Wormeley

[72] Selon M. Philip Alexander Bruce (*Social Life in Virginia in the Seventeenth Century*, Richmond, 1907, p. 235), on ne possède aucune description datant du dix-septième siècle des fêtes qui suivaient la célébration du mariage. Durand peut servir à combler cette lacune. Il est curieux qu'il emploie ici le terme « Indiens », alors que la description indique bien qu'il s'agit de colons de la classe moyenne et non d'indigènes. Par contre, on trouvera dans le même ouvrage de M. Bruce des indications précises sur le banquet qui suivait les funérailles. En 1667, on voit qu'après un enterrement, les invités consommèrent 24 gallons de bière, 22 de cidre, 5

dans leurs mariages. Il y avoit du moins cent personnes invitées, plusieurs de condition & des Damoiselles fort bien mises & bien faites. Quoy que nous fussions dans le mois de Novembre, on nous fit manger sous des feuillées. Il faisoit très beau ce jour là. Nous estions vingt quatre à la première table. On nous servit si abondamment de viande de toute sorte, que je fus asseuré qu'il y en auroit eu pour un régiment de cinq cens hommes, qui n'eut esté composé que de Languedociens. Provençaux ou Dauphinois. Aussi les Indiens ne mangent presque point du pain, boivent rarement pendant le repas, mais ensuite ils ne firent autre chose le reste du jour & toute la nuit que boire, fumer, chanter & dancer.

Figure 6: Danses Indiennes

Ils n'avoient point de vin, mais leur boisson étoit de la Bière, du Cidre, du Ponch qui est un mélange qu'ils font dans un grand bassin. Ils y mettent trois pots de Biere, trois pots d'Eau de Vie, trois livres de Sucre, quelques Muscades & Canele, mêlent bien tout cela ensemble, & lors que le sucre est fondu ils le boivent, & pendant qu'ils sont après un il y en à qui en préparent un autre. Quand à moy je ne bus que de la

---

gallons de brandy et 12 livres de sucre (un gallon équivaut à peu près à 4 litres) (*Social Life in Virginia*, p. 221). Ce sont les ingrédients qui entraient dans la confection du « ponch » dont Durand se méfiait non sans raison.

Bierre, le Cidre me faisoit mal, je n'aime pas le Sucre. C'est la coutûme de ne faire qu'un repas dans ces occasions à deux heures après midy. On ne prépare aucuns lits pour les hommes, ceux qu'il y a sont pour les femmes & filles, de sorte qu'environ la minuit après que je les eu bien vû faire la débauche, plusieurs estant déjà étendus sur le carreau, je m'endormis sur une chaise proche du feu, ce que le maître du logis ayant aperçû me mena dans la chambre des femmes & filles, où il y avoit quatre ou cinq lits tendus ou sur des coitres, & ayant pris toutes leurs couvertures m'en fit un sur le plancher avec elles, & me dit qu'il ne le vouloit pas faire dans la Sale de peur que les yvrognes ne me tombassent dessus & ne m'empêchassent de dormir. Ils firent la débauche toute la nuit, & lorsqu'il fut jour que je me levai, je n'en trouvai aucun qui peut se tenir debout. Peu après le marié se leva me fit bien déjeûner & me fit reconduire dans ma chambre par ces esclaves.

XIII

HUITIÈME VOYAGE [73]

VOYAGE DANS LES CONTÉS DE PEYQUETAN, MILDESSEX, NOTOMBERLAND, RAPPAHANNAK, ESTAFORT & MARILAN [74]

J'étois dans une grande impatience de voir Monsieur Isné que nous nommerons désormais Monsieur Parker. Je souhaitais de sçavoir comment il agiroit envers moi, depuis qu'il avoit été reconeû. Je n'étois qu'à onze lieuës de la Conté de Mildessex, mais comme il me falloit faire ce chemin à pied, je me sentois encore trop foible & arrassé pour l'entreprendre. Je me reposai donc jusques au 17 de Décembre.

Je ne m'étois encore déterminé à rien pour un établissement, car ce païs m'agréoit grandement, mais je ne voyois aucune apparence de m'y arrêter. Je n'étois pas sorti de ma Patrie pour vivre le reste de mes jours sans exercice de Religion, & j'y aurois été contraint, du moins je n'en aurois eu que dans un langage qui m'étoit entièrement barbare. Pour ce qui est de la Caroline, j'avois entièrement abandonné le dessein d'y aller, & je voyois bien que sans tenter Dieu, je ne pouvois persister dans cette résolution, après les grands obstacles qu'il m'avoit fait rencontrer. Je sçavois que dans toutes ces Colonies du Nort, il y avoit beaucoup de François & même quelques Ministres, mais la froideur de ces climas me rebutoit presque autant, que les ardeurs de la Caroline.

---

[73] Sixième au lieu de huitième, faute d'impression certaine.

[74] Piakatank, Middlesex, Northumberland, Rappahannock, Stafford, Maryland.

J'avois bien résolu de laisser passer encore tout le mois de Janvier, avant que de me retirer de la Virginie, tant à cause du froid que du danger qu'il y a à passer le Cap dans cette saison, un vaisseau de Nègres s'y étant perdu depuis cinq ou six jours. Cependant je m'humiliois devant Dieu, & le suppliois de me conseiller en toutes mes doutes, & me résoudre en toutes mes irrésolutions.

Je partis donc ainsi indéterminé, & allay coucher chez un Médecin à six lieues de mon logis. Il me logea très bien, & le lendemain il me bailla des chevaux jusques chez Monsieur Vuormmely[75], qui n'étoit qu'à cinq lieues de chez lui. Monsieur Wormeley est fils du Gouverneur défunt, il est Baron, & bien qu'il aye encore ses biens en Angleterre, il s'est établi en ce païs. Il a vingt-six Esclaves nègres, & vingt Chrétiens ; il y possède les premières charges ; il y a du moins vingt maisons dans une belle plaine le long du fleuve Rappahannak. Il a baillé la plus commode à Monsieur le

---

[75] Ralph Wormeley of Rosegill (1650-1701) dont la mère avait épousé en troisièmes noces Sir Henry Chicherley, député gouverneur de Culpeper. Il était donc en fait le beau-fils et non le fils du « défunt gouverneur ». Sir Ralph avait été élevé en Angleterre et avait étudié à Oxford. Il fut président du « Conseil » en 1688 et devint « secrétaire de la colonie » en 1693. Il mérita d'être considéré de son vivant comme le « personnage le plus important après le gouverneur ». La résidence qu'il s'était bâtie et qu'il nomma « Rosegill » est encore aujourd'hui un des plus purs exemples de l'architecture coloniale au dix-septième siècle ; elle a été maintes fois décrite dans des traités spéciaux. Dans son premier état, la maison principale comprenait une grande salle de réception « parlor », deux chambres à coucher et une « nursery » au rez-de-chaussée. Au premier, se trouvaient trois chambres ordinaires et une chambre de débarras. La cuisine, la laiterie, et les dépendances formaient, comme d'usage des bâtiments séparés. On trouvera, p. 3, une vue de la maison principale telle qu'elle existe aujourd'hui et, p. 110, une vue du vestibule avec les deux escaliers donnant accès à l'étage supérieur. *Record of Middlesex County*, dans P. A. Bruce, *Economic Life*, II, p. 156.

Gouverneur[76]. Arrivant chez lui, je creus d'aborder dans un assez grand bourg, & je sceus ensuite que tout lui appartenoit. Je rencontrai Monsieur le Milord Parker dans la Basse-cour. Il me reçut avec une grande affection, & me présenta à Monsieur le Gouverneur, auquel je fis ma révérence. Après quoi, je le tiray en particulier à un coin de la Salle, & lui dis que je venois en quelque sorte réparer les incivilités & la trop grande familiarité dont j'avois usé envers lui, qui méritoit sans doute quelque excuse, puisqu'il se les étoit attirées par le grand soin qu'il avoit pris de m'entretenir dans cette erreur. Il me répondit fort obligemment que quand même je l'aurois reconneu pour ce qu'il étoit, il auroit été bien fâché d'exiger de moi plus de civilité qu'il n'en avoit reçeu, & me pria si je lui voulois faire plaisir d'agir à l'avenir avec la même familiarité qu'auparavant. Il est vrai qu'il avoit pris si grand soin de cacher la condition qu'il avoit laissé tout son train à Madame sa mère, & avoit mandé à un de ses amis à Londres de se mettre dans notre vaisseau avec trois ou quatre tonneaux de marchandise de toutes sortes jusques à de vesselle de terre, & de lui envoyer un valet pour le servir, qui fut pris dans la prison, ayant été condamné à être banni, & ce valet le servit toujours dans la croyance qu'il étoit marchand.

---

[76] Le « Virginian » remarque que l'on connaît un document signé par le gouverneur le 1er septembre 1686 et daté de Rosegill, ce qui confirme le récit de Durand.

Figure 7: Rosegill, propriété de M. Wormeley

On couvrit incontinent la table, & après avoir disné son Excellence me demanda que me sembloit de ce païs. Je lui répondis que je le trouvois très bon & très beau, & que si on y prêchoit en françois j'y passerois le reste de mes jours, mais que la différence du langage me contraindroit ou de retourner en Europe, ou d'aller dans ces Colonies du Nort. Il répliqua qu'il avoit ordre de donner à chaque étranger qui viendroit s'habiter dans son gouvernement cinquante acres de terre, mais que pour moi tant à cause que j'avois quitté ma patrie pour la Religion, que parce que je lui étois recommandé par Monsieur Parker il m'en donneroit cinq cens; mais qu'il faudroit aller loin & être parmy les Sauvages, ce qui n'est pas, ajouta-t-il que ce soient gens fort à redouter, mais j'y trouve une autre incommodité, qui est qu'en ces endroits les fleuves ne peuvent porter que des petits bateaux, & on seroit privé du commerce de la Navigation. Ainsi comme il y a grandissime quantité de fons à vendre à bon marché, très bons & parmi les Chrétiens, il conseilleroit plutôt d'en prendre là que d'aller plus loin ; qu'il croyoit que ce seroit mieux le climat des François que la Caroline à cause de la grande chaleur, & que la Painsilvanie & n. Angleterre à cause du froit ; qu'on lui avoit écrit depuis peu, qu'il y en avoit quantité en Angleterre, & qu'il en arrivoit toûjours, que si j'y voulois retourner, & en amener avec des Ministres, il nous serviroit en tout ce qui lui seroit possible, & que pour ce qui est des Pasteurs pourveu qu'ils fissent seulement de temps en temps quelque prédication en Anglois, & fissent les baptêmes & mariages des Chrétiens qui seroient dans les endroits où les François habiteroient, ils donneroit des bénéfices à deux ou trois, & ils seroient obligés en leur prêchant de lire les prières communes, mais lorsqu'ils prêcheroient aux François seuls, ils agiroient comme ils fesoient lorsqu'ils étoient en France. Il n'y avoit rien d'extraordinaire dans les offres qu'il me fit de ces terres que la quantité, car dans tous les endroits dépendant de la domination d'Angleterre on donne cinquante acres à chaque étranger des fons qui ne sont point encore pris par ceux du paÏs. Je lui rendis grâces de ces offres si obligeans & lui dis que le trajet étoit bien long pour un homme de mon âge, & qui avoit été grandement affoibli par le long voyage que nous avions fait venant dans l'Amérique, mais que néanmoins j'y songerois & verrois dans quelques jours, si ma santé me pourroit permettre de l'entreprendre.

Figure 8: Rosegill : le vestibule

Il entra alors quelques étrangers, & Monsieur Parker prit de là occasion de me promener le long du fleuve. Il faisoit fort beau ce jour là, il connut que j'avois le désir de savoir ce qui l'avoit obligé de cacher sa condition. Il n'attendit pas que je ly le demanda, mais dès que nous fusmes seuls, il me dit qu'il y avoit deux ou trois ans qu'il étoit à Grenoble, où il se rendit amoureux de Mademoiselle Marie de la Garene, que cette fille & Madame sa mère ayant témoigné quelque désir de voir Lyon & Paris, il avoit eu assez de complaisance pour les y mener. Il avoit séjourné une couple de mois à Lyon & à Paris dix-huit ou vingt mois, où il fesoit grand dépence, entretenoit beau carosse & grand train, & que pour subvenir à tout cela, il avoit pris ses revenus par avance de deux ans, lequel espace de temps, il avoit résolu pour remettre ses affaires, de le venir passer dans l'Amérique, inconnu, & comme marchand afin d'y dépencer moins. — « Présentement que je connois ce que vous êtes, lui répondis-je, je suis trop persuadé de tout ce que vous m'avez dit pendant notre Navigation, touchant cette Damoiselle, mais vous m'excuserés bien si tant que je vous ai creu marchant, la connoissant très belle, fière, & de qualité, je n'y avois ajoûté aucune croyance ». — « Hé bien, répliquat-il pour vous ôter encore mieux toute sorte de doute, aussi bien je prens encore grand plaisir à parler d'elle ». Il commanda alors à un sien valet de lui apporter sa cassette, & m'ayant mis quatre lettres entre les mains, il me pria de les lire. Elles étoient composées d'un estile tendre & passionné, & comme je lisois la dernière dans laquelle elle lui marquoit, que si pour son malheur elle venoit à s'apercevoir qu'il cessât de l'aymer, bien loin de donner son affection à un autre, elle se relègueroit dans un Cloître le reste de ses jours, il m'interrompit lors que j'étois en cet endroit, & me dit : « Elle n'a pas pourtant tenu sa parole, car j'ai sçeu de bonne part quelques jours avant que de partir pour l'Amérique, que Monsieur l'Archevêque de Paris s'en est rendu amoureux, & qu'il entretient secretement un train plus magnifique que le mien, de quoi je suis bien aise, continuat-il, car comme je l'aime encore un peu, j'aurois apréhendé qu'après qu'elle auroit eu dépencé quarante pistoles que je lui laissai en la quittant, elle ne fut finalement tombée dans la nécessité. Mais présentement je suis hors de regret de ce côté là, car ce bon Prélat est si charitable qu'il ne ly laissera manquer de rien » [77]— « Puisque vous dites, répliquai-je, je vous prenes plaisir d'en parler, je vais en peu de mots vous dire les funestes éfets qu'a produit sa beauté à deux lieües de chez moi, qui est un Gentilhomme fort bien fait, unique pour ce qui est des mâles, n'ayant qu'une sœur mariée, depuis quelques années, dont le père étoit riche de dix mille livres de rente, en étant éperduement amoureux, fit agir envers son père et sa mère tous ceux qu'il creut avoir quelque ascendant

[77] Sur cet épisode et sur Harlay de Champvallon, archevêque de Paris, voir *Introduction*, p. 10.

sur leur esprit pour les porter à souffrir qu'il l'épousât. Mais ces bonnes gens, bien qu'ils ne trouvassent rien à dire pour la qualité & pour l'alliance, l'attacement qu'ils avoient au bien, car il s'en falloit de beaucoup qu'elle n'en eût pas, ce qu'ils espéroient pour leur fils fit qu'on n'en put jamais exiger aucun consentement, ce qui mit ce jeune homme dans un tel désespoir qu'il s'alla jeter dans la Chartreuse de Lyon, où étant ces bons Religieux le caressèrent d'une manière qu'il a été impossible au père & à la mère de l'en pouvoir jamais retirer. Et ainsi sa beauté a ôté du Monde un mien voisin à notre grand regret, mais j'estime que sa sœur qui avoit déjà cinq ou six enfans, & dont le mari avoit mangé une partie de son bien n'étant pas trop bon ménager, s'en sera facilement consolée ». Monsieur Parker me dit qu'elle lui avoit dit tout cela, qu'il n'y ajoûtoit pas beaucoup de foi croyant qu'elle se vantoit un peu, qu'à présent il en étoit mieux persuadé.

Je séjournai un jour et demi avec ces Messieurs, après quoi je voulus me retirer. Monsieur Parker me dit que pour le présent, il ne me pressoit pas d'y rester davantage, parce que le lendemain il alloit faire une visite à dix lieues de là, mais que je me tins prêt pour le commencement de la semene suivante, qu'il me manderoit ses chevaux, car dès qu'il fit reconeû il acheta trois bons chevaux. Je ne refusai point cet offre, car je m'ennuyois grandement d'être si solitaire. M'en ayant donc fait donner je partis, & ly les renvoyai de la rivière de Painquetain[78], qui est à moitié chemin de Point Comfort, & laquelle il faut passer sur un bateau. Il ne manqua point de me les mander le jour qu'il m'avoit donné, & le lendemain je me rendis à lui. J'y fus cinq ou six jours ; nous mangions une fois de la journée avec Monsieur le Gouverneur à deux heures après midi. Il ne fait que ce repas réglé, & le reste du temps chez Monsieur Wormeley. Il nous fesoit servir à boire du vin blanc d'Espagne & du vin cleret de Portugal, & Monsieur Wormeley du vin de Portugal, du cidre & de la

[78] La Piakatank river. Il s'agit de New Point Comfort.

bière. Comme il y avoit près de cinq mois que je ne buvois que de l'eau, je trouvois ces vins si violens que je demandai la permission d'y faire mêler la moitié d'eau. Monsieur le Gouverneur & Monsieur Wormeley s'en moquoient, mais Monsieur Parker qui avoit beaucoup voyagé en France en ayant goûté le voulut toujours boire de même, & efectivement je le trouvois encore aussi violent que le meilleur vin que nous ayons en France tout pur.

Le Parlement [79] s'y rendit pendant ce temps là. Ils ont accoutumé de s'assembler extraordinairement lors que il arrive quelque affaire d'importance. Un vaisseau de la Guynée chargé de Nègres avoit contrevenu. Il fut pris par les navires de guerre. On le jugea & il fut confisqué. J'y vis des gens bien faits ; ils jugent les procès avec la botte et l'épée. Ce qui m'a fait dire que l'on manie de l'argent parmi les gens de qualité, c'est qu'après avoir soupé on se mit à jouer, & il étoit presque près de la minuit lorsque Monsieur Parker qui voulut que je couchasse toujours avec lui, s'aperçut que je l'attendois. Il me pria donc de me retirer & d'aller dormir, car me dit-il possible que nous serons ici toute la nuit, & effectivement je les trouvai encore le lendemain au jeu, & vis qu'il leur avoit gagné cent écus.

Après que le Parlement se fut séparé, je vis que Monsieur Wormeley se disposoit à faire un voyage dans la Conté de Rappahannak, où il avoit des Plantations à vingt-deux lieuës

---

[79] On ne trouve aucune indication de la « General Court » à cette date. Il s'agissait, comme Durand l'indique d'ailleurs, d'une réunion extraordinaire du Conseil du gouverneur. Durand prend ici le mot parlement au sens de tribunal et non point au sens anglais. De plus, Beverley indique que lord Effingham avait établi « une cour de chancellerie distincte de la Cour générale.... Il s'érigea lui-même en Chancelier, et il prit pour associez quelques Membres du Conseil... Afin que cette Cour eût plus l'air de nouveauté, il ne voulut pas la tenir dans la Maison de Ville, mais il prit pour cet usage la Sale d'une maison particulière » (Beverley, liv. I, ch. LXXVIII). Il est probable qu'il s'agit ici d'une session de ce tribunal spécial.

de chez lui, ce qui fit que je voulus me retirer, & l'ayant communiqué à Monsieur Parker étant dans le lit, il me dit qu'il ne m'avoit pas mandé quérir pour si peu de temps, qu'il falloit passer les Fêtes de Noé ensemble, & qu'il s'étoit attendu que je ferois le voyage avec eux. Je m'y accordai très volontiers, & le lendemain Monsieur Wormeley m'ayant fait bailler un bon cheval & un à mon valet, nous partîmes qu'il n'étoit pas plus de deux heures de jour. Monsieur le Gouverneur qui est homme de fort bonne humeur, ne nous ayant point voulu laisser aller, que nous n'eussions disné avec lui. On voyage si vigoureusement en ce païs que dans l'espace de ces deux heures, nous fîmes environ six lieues. Les chevaux sont si bien accoutumés à cette diligence, que dès que on est dessus on n'a qu'à se bien tenir. Je ne croy pas qu'il y en ait de meilleurs au monde, & si mal traités, car c'étoit le 29 Xbre suivant le stile de France, mais comme mon Almanac s'en va fini, je compterai désormais suivant l'ancien calendrier comme on fait dans les Indes. On ne fit donc que leur ôter la selle après leur avoir fait manger un peu de bled sarasin, & ainsi tous couverts de sueur, on les chassa dans le bois où ils mangent ce qu'ils peuvent trouver, & cependant il geloit très ferme. Nous ne fûmes pas trop bien logés cette nuit, qui fut cause que nous en partîmes le lendemain bon matin, & ayant encore fait six lieues avec la même diligence, nous nous arrêtâmes chez un honnêt homme, qui nous fit bonne chère, & nous logea fort proprement. Nous y couchâmes. Nous n'avions pas intérêt de nous presser, car Monsieur Wormeley avoit fait partir sa chaloupe chargée de provisions, & comme il ne faisoit point de vent, elle ne pouvoit avancer qu'à la faveur du reflux. Le lendemain nous commençâmes à trouver quelques collines. Nous étions dans la Conté du Notomberland, & comme nous allions aborder le fleuve, lequel il nous falloit passer sur des bateaux, Monsieur Wormeley me fit dire qu'il y avoit dans ce voisinage la veuve d'un bourgeois qui n'avoit que trente ans, & qui étoit fort bien faite sans avoir aucune famille, qu'il savoit qu'elle ne souhaiteroit pas mieux que de se marier avec une personne de qualité, qu'il avoit beaucoup de pouvoir sur son esprit, qu'elle étoit bien logée, avoit une Plantation de mille acres de terre avec beaucoup de bétail de toutes espèces, que nous ne nous éloignions pas d'une lieüe, que si je l'agréois nous nous y détournerions, & il lui proposeroit de sa marier avec moi. Je ne songeois à rien moins qu'à me marier. C'étoit une fortune pour moi sans doute, mais la différence du langage qui m'obligeoit à quitter ce païs, fit aussi que je le fis remercier du soin qu'il daignoit prendre de mon établissement, & ainsi nous continuâmes notre voyage ; mais si je négligeai ces propositions, je m'arrêtai bien mieux à admirer les effets de la Providence, & la fidélité des promesses que notre Seigneur nous fait lui-même dans son Evangile, lors qu'il nous dit, que ceux qui quitteront tout pour le suivre, il leur fera trouver beaucoup davantage & finalement la vie éternelle, car dans un climat si éloigné où j'apréhendois lorsque nous y fûmes jetés, de ne trouver pas qui me mît sous son toit, il me fait rencontrer des amis les plus illustres de toute l'Amérique & un party de mille acres de terre & beaucoup d'autres effets.

Nous traversâmes donc le fleuve, & nous entrâmes dans la province de Rappahannak. Nous allâmes loger chez le Juge de la Conté. Il avoit ses maisons le long du Fleuve. Nous y rencontrâmes notre chaloupe qui ayant avancé la nuit avec le reflux, nous nous rendîmes le lendemain à Portobago, c'est ainsi que se nomment ces belles Plantations de Monsieur Wormeley. Monsieur le Juge avec un de ses amis qui se trouva chez luy vinrent avec nous comme aussi cet honnête homme où nous avions logé auparavant.

La chaloupe avoit aporté de toutes sortes de provisions à la réserve de la viande, car elle venoit pour en quérir. Ces Messieurs se mirent d'abord à faire accommoder des bassins de Ponch & firent grand débauche, pendant que je m'allai promener j'étois charmé de voir ces belles Collines, ces Fontaïnes & ces ruisseaux qui en découloient, comme aussi de la quantité de vignes sauvages qu'il y a en ces endroits. Je contay de ce côté huit ou neuf maisons que Monsieur Wormeley a dans ses domaines ou plantations. Je voyois aussi que son bétail étoit beaucoup plus gras & plus gros, que celuy que j'avois vû dans la Conté de Gloster, & dans tout le reste du païs. Je m'apercevois de même qu'il y avoit environ les deux tiers de ces terres en bois, & l'autre en preries qui sont comme j'ai dit ci-devant les plantations qu'occupoient les Sauvages, il y a cinq ou six ans ; trois de ces Sauvages le vindrent visiter dès que nous fûmes arrivés. Ils luy apportèrent deux grands Coqs d'Inde Sauvages & un Domestique. Les Sauvages pesoient bien 40 livres la pièce. Nous voyons leur vilage à l'autre rive du fleuve, de sorte que le lendemain ayant témoigné quelque envie de les voir chez eux, Monsieur Wormeley commanda qu'on passât de l'autre côté du fleuve trois chevaux, & qu'on nous fit dîner un peu matin. Après quoy, Monsieur Parker luy et moi nous mismes dans le bateau qu'on nous avoit renvoyé & après montâmes à cheval. Nous parcourûmes encor toutes les terres qui sont de ce côté du fleuve qui sont en plus grande quantité que celles qu'il y a du côté du Nort où nous étions logés. J'y comptois six maisons, j'y vis encore grande abondance de Vignes Sauvages estenduës le long de la terre, & tant de pêchers qu'on me disoit que dans la saison les cochons ne bougent de là tant qu'elles durent, ne boivent point, estant toujours yvres & ils s'engressent mieux qu'avec le gland et les châtagnes. Après avoir donc parcouru ce quartier nous allâmes dans le village des Sauvages.

Ces Sauvages ont leurs maisons assés jolies ; elles sont décorées d'arbres tant les murailles que les couverts, si bien attachées avec des courroyes de peau de cerf que la pluie ni les vents ne les incommodent point.

Figure 9 : Village Indien, d'après Beverley

Ce sont des gens plus noirs que les Egiptiens que nous avons en Europe. Ils se marquent le visage par des cicatrices faites en coquille de limaçon, où ils mettent de la poudre, & ainsi ils sont marqués pour toute leur vie. Les femmes dans la maison ne portent qu'une peau de cerf pour couvrir leurs parties les moins honnestes. En Hiver elles mettent le poil contre la chair, & en été mettent chair contre chair. Ils font leur feu au milieu de la maison ; leurs lits sont tout autour[80]. Ils entrelassent une certaine herbe forte qu'ils trouvent le long du fleuve qui ressemble de natte, & sont sur quatre petites fourches. Ils leur servent de siège pour s'assoir. Les hommes ne portent dans le village qu'une méchante chemise de toile blanche ou bleue, & dès qu'ils l'ont vêtue ne la quittent point qu'elle ne leur tombe dessus par morceaux, car ils ne lavent jamais rien.

---

[80] Dans l'ensemble, Beverley confirme les indications très sommaires de Durand. Comme on peut le voir, les gravures qui accompagnent l'ouvrage de l'historien anglais pourraient servir d'illustrations à l'ouvrage du voyageur français. Déjà à cette époque il ne restait plus sur la côte que quelques survivants des tribus indiennes primitives. Beverley estime le nombre de leurs guerriers à moins de 500. Les indigènes vivaient alors par petits groupes constitués par quelques familles (*Histoire de la Virginie*, liv. III, ch. XIII). En 1705, la population indigene de Port Tabago où Wormeley avait établi une plantation n'était que de « cinq ou six archers qui dépérissent » (*Id.*, liv. III, ch. XIII).

Figure 10: Indiennes d'après Beverley

A la réserve de cette peau, les femmes sont entièrement nuës le reste du corps. Leurs petits enfants tout à fait nuds quel froid qu'il fasse. Les hommes ne s'occupent qu'à la chasse & à la pêche ; les femmes font du bled sarrasin.

Il est commun entr'eux, en prend qui en a besoin. Elles font aussi des pos, des vases de terre, & des pipes à fumer. Les Chrétiens achetant leurs pos ou vases le leur remplissent de Bled Sarrasin, & c'est le pris. Elles fument toutes aussi bien que les hommes, mais ne recueillent aucun tabac ; on leur en change pour du gibier ou du poisson. Ils se marient entr'eux, mais ce n'est que pour éviter la confusion entre les enfans ; car dès qu'un jeune homme a pris femme, il bâtit sa petite maison, quitte père et mère & s'y retire. Ils ont quelque connoissance mais fort imparfaite du vray Dieu ; ils croyent bien qu'il est autheur de ce qu'ils voyent & de la production de ce qui leur est nécessaire pour la vie, mais qu'il ne se mêle point de leur conduite & ne s'abaisse pas jusques là ; que les démons qui luy sont inférieurs sont établis pour cela ; & ainsi les craignent, car ils en sont maltraités de temps en temps. Ils ne font point d'autre cérémonie dans leurs mariages, si ce n'est que le village s'assemble, & le garçon ayant choisi celle qu'il veut prendre luy donne un pied de biche ou de cerf, & elle lui présente un espi de bled sarrasin, ce qui veut dire que le mari tiendra la maison pourvûë de viande, & la femme de bled.

Figure 11: Couple indien d'après Beverley

Les Ministres de ce païs ne prennent aucun soin de les convertir au Christianisme, & de les instruire, bien que la pluspart sçavent parler anglois. En les quittant ils firent présent à Monsieur Wormeley d'une douzaine de peaux de cerf, & à Monsieur Parker & à moi d'une poignée de pipes à chacun.

Comme il estoit déjà nuit nous fîmes venir le bateau pour nous retirer, & comme il nous fallut assés de temps, le Fleuve estant fort large, car il porte encore en cet endroit des vaisseaux de six-vins tonneaux, bien qu'éloigné de trente lieuës de la mer, j'exaltois donc la beauté de cet endroit que nous venions de voir, c'étoit de même des belles collines d'où découlent des fontaines & des ruisseaux, & qui ont au pied des belles preries, toujours remplies de Vignes sauvages, & disois qu'on feroit des belles Vignes dans ces penchants, & que le Vin y seroit sans doute fort excellent ; à quoy Monsieur Wormeley repartit que si je trouvois le moyen d'y faire venir des François, il bailleroit toutes ces dix mille acres de terre, qu'il avoit aux deux côtés de ce fleuve, pour un écu l'acre, laisseroit aller pour le même pris, & par dessus les maisons qu'il avoit que je crois au nombre de quatorze, & les clotures & fonds cultivés qui étoient dans ses domaines. Mais que pour le bétail il faudroit qu'on ly payât séparément ; qu'il feroit crédit pour deux ou trois ans à ceux qui n'auroient pas de quoy ly les payer en les prenant, & leur prêteroit pour leur aider à subsister la première année tout le bled qu'il y recueilleroit, & les serviroit en tout ce qui lui seroit possible, car aussi bien continua-t-il, ça est éloigné de chez moi, & j'en ay encore dix mille acres dans la Conté de Mildessex.

J'avois jusques à présent balancé ou de retourner en Angleterre, ou d'aller dans le Nort de l'Amérique ; mais dès que j'eus vû la beauté & la fertilité de cette Province de Rappahannak, & particulièrement des terres de Monsieur Wormeley, cela joint avec la satisfaction dont je joüissois depuis quelques jours qui m'avoit asseurément fait recouvrer une partie de mes forces, fit que je résolus absolument mon retour dans l'Europe. Je vis que ce païs n'étoit pas connu, & que comme il n'a aucuns propriétaires, personne n'a pris le soin d'en faire imprimer des relations comme de la Caroline & Painsilvanie. Je jugeai même que ces grands obstacles qui s'étoient opposés au dessein que j'avois fait de m'aller établir dans cette Caroline me pouvoient avoir été suscités afin d'informer tant de pauvres Réfugiés d'une si agréable & si salutaire retraite. Tellement que la charité se joignant à ces autres considérations, fit que je ne songeay plus qu'à chercher une occasion pour m'embarquer au plutôt.

Ayant donc communiqué mon intention à Monsieur Parker, il m'y confirma autant qu'il put, & dit à Monsieur Wormeley qu'il falloit qu'il dressât des conventions lesquelles fussent signées de sa main, qui justifiassent qu'il vouloit vendre ces terres & qu'on y vit le prix qu'il en vouloit avoir, ce qu'il me promit de faire en rentrant chez lui.

Nous approchions des festes de Noë, Monsieur Parker étoit Catholique Romain, mais il n'étoit pas de ceux qui s'entestent de bigoterie. C'étoit un véritable homme d'honneur, & comme il n'étoit parti de notre royaume qu'après Pasques de l'année 1686, il avoit été témoin oculaire des mauvais traitemens qu'on nous avoit fait, & de notre innocence, ce qui luy avoit inspiré une si grande compassion de nos malheurs qu'il blâmoit incessamment l'inhumanité du clergé de France. Il désira donc d'aller passer le jour de Noë à Marilan. Nous n'en estions qu'à cinq ou six lieuës, nous n'avions garde de le quitter. On résolut donc d'aller coucher chez Monsieur le Colonel Fichoux[81], qui a ses maisons sur le bord du grand Fleuve de Pethomak.

---

[81] Encore un amusant essai de transcription phonétique. Dans un savant compte-rendu du livre de B. W. Green, *Word-Book of Virginia Folk-Speech*, Richmond, 1899, le professeur J. L. Hall indique que « Ficheux » est encore la prononciation courante de Fitzhugh (*Virginia Historical Magazine*, vol. VII, p. 219, 1899).

Il s'agit ici de William Fitzhugh de Bedford en Stafford, un des plus gros propriétaires de Virginie qui avait reçu le grade de lieutenant-colonel. Quelques semaines auparavant Fitzhugh avait été l'objet d'accusations assez graves devant l'Assemblée de Virginie, il avait été menacé d'une suspension de toutes ses charges et son attitude avait été caractérisée comme un « abuse put upon Stafford County and the whole country ». Voir sur ce point les *Journals of the House of Burgesses of Virginia*, 1659-60 … 1693, edited by H. R. McIlwaine, Richmond, Virginia, 1914. La session de l'Assemblée se tint du 20 octobre au 17 novembre 1686 à James City. L'histoire des projets de colonisation de Fitzhugh est des plus compliquées ; on peut la suivre dans sa correspondance publiée dans le *Virginia Historical Magazine*, 1894-1895, et l'on en trouvera un résumé dans les *Landmarks of Old Prince William*, 2 vols, privately printed, Richmond, 1924, vol. I, pp. 117-196. Il semble que, avant même la Révocation, Nicholas Hayward, fils d'un marchand de Londres et notaire public « on the Virginia walk of the exchange and entirely beloved and good friend of William Fitzhugh » avait acheté sur le Potomac près de Bedford, une plantation qui appartenait à Fitzhugh. Il songeait à y amener comme colons des Huguenots réfugiés à Londres. Fitzhugh s'enthousiasma pour ce projet et comme la plantation achetée par Hayward semblait trop peu étendue, il proposa de les envoyer sur un terrain dont il s'était récemment rendu possesseur et situé sur le cours supérieur de l'Accotink. Cette propriété qui devint plus tard Ravensworth comprenait près de 22.000 acres et par une lettre datée de mai 1686, Fitzhugh l'avait offerte aux protestants français. Hayward, d'autre part, avait refusé la proposition

Nous fusmes retardés pour quelques momens, car comme nous allions monter à cheval, tous ces Sauvages, hommes, femmes & petits enfans nous viendrent rendre nôtre visite, ceux qui avoient eu moyen d'avoir quelque justaucorps des Chrétiens les portoient, & de même les femmes qui avoient quelque juppe, les autres portoient certaines pièces de méchant drap bleu, dont on fait les couvertures qu'on leur avoit changé dans les vaisseaux pour des peaux de daim. Ils avoient fait un trou pour passer la tête, & se l'étoient ataché au milieu du corps avec des courroyes de peau de Cerf. Les femmes se l'étoient mis en Mandille comme font les Egiptiennes en Europe, & leurs enfans étoient entièrement nuds. Elles avoient pris & c'est leur ornement des certains os de poisson très blancs, elles passent une flote de leurs cheveux dedans & en mettent tout autour de leur chevelure.

Elles avoient aussi des coliés & des bracelets de petits grains qu'elles trouvent dans le païs. On leur apporte aussi ceux qu'on fait les Chapelets en France, de sorte que les plus propres et les plus riches, car c'est leurs trésors, emportoient autant qu'il s'en pouvoit mettre à leur col & à leur bras, depuis le coude jusques à la main.

Nous partîmes peu de temps après à leur grand regret, car je connoissois qu'ils prenoient grand plaisir d'être parmi nous. Monsieur Wormeley est si aimé & si considéré dans ce païs que tout ce qu'il y avoit d'honnêtes gens dans ce voisinage le vindrent voir, & ne le voulurent point quitter, si bien que nous nous trouvâmes vingt à cheval chez Monsieur le

---

du colonel Fitzhugh et persisté dans son plan original. On trouvera le texte de sa « Proposition » tel que l'a donné Durand à la fin de ce volume, p. 139. L'entreprise de Fitzhugh ne semble pas avoir eu grand succès ; mais il put cependant attirer sur ses terres quelques réfugiés dont un « ministre français ». Quand il mourut, en 1701, il s'était en tout cas acquis le renom de grand ami des réfugiés, « the French refugees great friend, Col. Fitzhugh ».

Colonel Fichoux, il est si bien logé que cela ne lui fit nulle peine ; nous eûmes tous nos lits de deux en deux. Il nous fit grandissime chère ; il avoit de bon vin & de toutes sortes de boissons, aussi y fit-on grand débauche.

Figure 12: William Fitzhugh

Il fit venir trois violons, un bouffon, un de ces danseurs de corde, un qui faisoit des sauts périlleux, & enfin il nous donna tous les divertissements qu'on pouvoit souhaiter. Il faisoit grand froid, mais pour tout cela on ne s'approche jamais du feu, car on ne met jamais moins d'une charette de bois, & ainsi on se chauffe de toute la chambre.

Dès que nous eumes quitté les terres de Monsieur Wormeley, nous entrâmes dans la Conté de Stafort qui commence dans cet endroit ; & s'étant si avant entré, les deux fleuves qu'elle n'a point de limites du côté du Nort & d'Occident. La terre y est aussi fertile que dans celle de Rappahannak, les Colines y sont plus fréquentes mais non pas plus hautes ; j'y vis aussi quantité de vignes sauvages, un Gentilhomme de voisinage de ce Colonel nous y sachant s'y rendit. Il dit qu'ils étoient trois ou quatre qui avoient vingt cinq mille acres de terre à vendre dans cette même Compté à six ou sept lieues de l'endroit où nous étions, & qu'il y en avoit qui demeuroit dans Londres qui étoient très honnêtes gens qui avoient ordre d'offrir à des François s'il y en avoient qui vouloient venir des terres à bon prix, & de faire même quelques avances pour aider à bâtir des maisons à ceux qui n'avoient pas de quoi, comme aussi de quelque bled pour s'entretenir la première année.

Figure 13: Noël en Virginie

Le lendemain après qu'on eut fait la débauche jusques après midy, nous voulûmes passer ce fleuve. Ce Colonel fit apporter beaucoup de vin & un de ses bassins de ponch sur le rivage, nous prêta son bateau. Ayant laissé nos chevaux chez lui, nous nous y mîmes autant qu'il y en peut aller. Les autres restèrent & alâmes coucher chez un Gentilhomme dans la colonie de Marilan qui nous régala aussi très bien. Le jour suivant ayant appris qu'il n'y avoit point d'église des Romains qu'à sept ou huit lieues de là, Monsieur Wormeley qui avoit des afaires se voulut retirer, & comme je montois ses chevaux je ne le pus pas quitter, aussi nous fûmes contraints à mon grand regret de nous séparer. C'étoit la veille de Noë, Monsieur Parker voulut aller faire ses dévotions ; mais avant nôtre séparation il me mena promener, me dit que comme il y avoit desjà assez long temps que j'avois quitté ma patrie, je pourrois possible avoir besoin de quelque chose, me présente une bourse où il y avoit plus de cent Pistoles d'Angleterre, me presse d'en prendre ce que bon me sembleroit & de ne l'épargner pas, me dit que son Excellence l'avoit expressément chargé en partant qu'en cas que je me détermina à retourner en Europe dans l'intention de revenir avec des François, que je fusse asseuré qu'en tout ce qu'il pourroit nous rendre service il le feroit, & qu'il me vouloit bailler une lettre de recommandation à Monsieur l'Evêque de Londres, qui étoit son parent que pour lui il s'en alloit dès que nous serions au mois de Mai, passer les deux ou trois mois dangereux pour les maladies à la Painsilvanie & nouvelle Angleterre, qu'il prétendoit être de retour dans la Virginie au mois d'Octobre, après quoi il vouloit aller passer l'hiver dans les îles des Barbades, que j'essaya si j'avois à y revenir d'y être dans ce temps ; afin qu'il eût le plaisir de m'y rendre encore quelques services. Il m'asseura de plus que s'il aprenoit que je fus encore dans l'Amérique après qu'il auroit fait son voiage de Marilan il m'y viendroit voir. Je lui répondis qu'il me mettoit entièrement dans la confusion par tant de grâces & de bienfaits qu'il me présentoit ; que pour de l'argent j'en avois encore assés pour faire mon voiage ; mais que je ne pouvois répondre à tant de générosités que par des soumissions & obéissances que je lui rendrois toute ma vie, après quoi nous nous séparâmes.

Monsieur Wormeley & moi revinmes coucher ce jour là dans ses Plantations, & après y avoir passé le jour de Noë, nous allâmes loger chez Monsieur le Juge qui ne nous avoit point quitté, & de là nous fûmes chez un Capitaine de Cavalerie, & y séjournâmes parce que Monsieur Wormeley qui est Colonel de cette Conté voulut voir sa compagnie. Et ensuite nous restâmes chez lui par le même chemin, où il me tint encore deux jours, pendant lequel temps, il y vint un maître de vaisseau qui devoit partir à la fin de janvier pour Londres, & nous fîmes marché pour m'y porter. Son Excellence me réytéra encore les mêmes offres de service qu'il m'avoit fait faire par Monsieur Parker, après quoi j'en partis, & m'ayant baillé un sien valet de chambre pour m'accompagner & pour ramener les chevaux, ce pauvre garçon qui se disoit être fils d'un ministre de Montauban, & avoit été vendu en ce païs depuis trois ans, prit une pleurésie dès qu'il fut arrivé dans ma chambre, & dans cinq jours il fut mort ce qui me donna une grande mortification.

XIV

DERNIER VOYAGE

RETOUR EN EUROPE

Une autre considération qui n'avoit pas peu contribué à me faire résoudre de retourner en Europe, que je ne communiquai pas à Monsieur Parker parce qu'il étoit Catholique Romain, & par conséquent très peu versé dans l'Ecriture fut qu'en partant pour l'Amérique, j'achetai l'accomplissement des prophéties de Monsieur de Jurieu [82]. Ce grand homme met dans une si grande évidence la persécution présente par la mort de ses deux témoins, & la délivrance de l'Eglise dans leur résurrection, le tout par des preuves si fortes & si convaincantes qu'après l'avoir leu deux ou trois fois, je demeurai presque aussi persuadé de cet avenir que je suis par cette rude expérience convaincu du passé. Ainsi je souhaitai d'être témoin du rétablissement de la Religion dans ma patrie, comme je l'ai été de sa désolation et de sa ruine.

Je pris cependant un si grand chagrin contre mon hôte et mon hôtesse dans la mort de ce pauvre François, que je ne les pouvois plus voir, car ils eurent à peine la patience qu'il eut expiré, qu'ils se saisirent de son argent & de ses habits, & il me fallut quereller avec eux pour en avoir deux écus pour le payement du chirurgien qui l'avoit vu. Ils s'emparèrent effrontément de tout le reste, bien qu'il ne l'eussent en rien

---

[82] Dans son *Accomplissement des Prophéties, ou la Délivrance de l'Église*, publié à Rotterdam en 1686, le fameux pasteur Jurieu avait prédit le rétablissement du culte réformé en France pour l'année 1689. Si nous en jugeons d'après Durand, cette publication eut pour effet d'augmenter encore l'hésitation naturelle des réfugiés à trop s'éloigner de France et à abandonner de façon définitive la terre natale.

servi pendant sa maladie, & que mon valet en eût eu toute la peine & moi toute la dépense. Aussi m'occupai-je dès alors à chercher un autre logement.

Je me mis à deux lieues de là, sur le chemin de notre vaisseau pour être plus proche lors qu'il passeroit. Ils me firent payer à toute rigueur jusques à un jour le loüage de la chambre, à deux écus et demi le mois, & me firent laisser sans m'en rien vouloir compter quelques serrures que j'y avois fait mettre disant que c'étoit les loix de l'Amérique de ne rien ôter de ce qui étoit attaché. Ainsi je leur payai pour quatre ou cinq mois que j'y demeurois de quoi faire bâtir deux chambres comme celles que j'occupois. Je fus si infortuné que je rencontrai des gens encore plus incivils & plus barbares que ceux que j'avois quitté. On essayoit dans ce quartier à avoir de mon peu de bien à quel prix que ce fût. J'employai une femme à me laver quelque linge, elle ne s'y occupa que la moitié du jour elle voulut avoir un écu. Si j'envoyois du bled dans leurs moulins, on m'en retenoit effrontément la moitié, si j'achetois quelque chose d'eux, ils me le vendoient trois fois plus qu'il ne valoit, ce qui me donna une telle appréhension que l'impuissance de payer mon passage ne me contraignît de rester parmi ces inhumains, que je résolus de ne prendre plus rien d'eux, & me réduisis ainsi au pain & à l'eau.

Cependant le bruit se répandit dans le pays que j'y allois mener ou envoyer des François. Deux hommes de la Conté de Painquetain me vindrent offrir l'un trois mille acres de terre à vendre dans une Province à vingt cinq lieuës de là, le long du fleuve d'York, & l'autre deux mille. Ils m'en demandèrent vingt sols de l'acre, on me dit qu'elles sont toutes en bois. Je ne sçai si la terre est bonne je n'y ai pas été. Les habitans de ce voisinage vinrent aussi m'offrir qui sept cens acres, qui cinq cens, qui quatre cens. A ceux là je répondis, car ils amenoient des truchemens qu'ils pouvoient être assurés que tant à cause de leurs méchantes eaux que de la manière dont on m'avoit traité je n'avois garde de conseiller à aucun François de s'habiter parmi eux.

Ce maître de navire fut si peu ponctuel que nous étions déjà au quinze de Février sans que j'eusse aucune de ses nouvelles. Cependant ou l'ennui où j'étois, ou la manière dont j'étois nourri m'eut bientôt fait perdre l'embompoint que j'avois pris chez ces Messieurs pendant les quatre ou cinq semaines que j'y avois été, je le voyois diminuer & affoiblir grandement. Je patientai pourtant quoi qu'avec bien de chagrin jusques au premier de Mars, mais ne pouvant plus souffrir la brutalité de mes hôtes & de mes voisins, je résolus d'en partir à quel prix que ce fût, & d'aller trouver ce Capitaine qui étoit à dix-huit lieues de là. Il me falloit aller par mer à cause de mes hardes, j'avois trouvé un bateau qu'on me loüoit à douze sols le jour, mais il me fallut avoir deux hommes pour le conduire, celui à qui il apartenoit étant malade. Je les trouvai il me fallut leur promettre cinquante sols à chacun par jour & les nourrir.

La veille de mon départ, comme Mr. Parker étoit destiné à me rendre toutes sortes de bons offices, j'en reçeus une lettre qui m'arrêta. Il m'avoit voyrement dit en me séparant de lui qu'il me viendroit voir, mais n'osant espérer tant d'honneur je ne m'en souvenois plus. Il y vint donc tout à propos pour m'épargner trois ou quatre pistoles que m'auroit coûté ce voyage. Il me croyoit toujours logé dans le même endroit qui étoit à l'embouchure d'un bras de mer, qui avance de deux lieues dans la terre de sorte que se trouvant de l'autre côté, pour éviter trois ou quatre lieues qu'il lui auroit fallu faire de plus, il laissa ses chevaux & vint en bateau, & ayant sçeu que j'étois deux lieues plus loin tâcha de faire ce chemin à pied, si bien qu'il s'en retourna, & m'écrivit que pour m'ôter de l'impatience où il jugea bien que j'étois, il me manderoit un valet huit jours avant que le vaisseau me vint prendre, qu'il croyoit que ce seroit au plutôt.

Cette lettre me contraignit donc de rester encore quelque temps parmi ces honnêtes gens. Je n'allai plus à leurs Eglises dès que j'eus changé de logement parce que j'en étois à trois lieuës. Les Dimanches étoient les jours qui me duroient le plus, me voyant sans exercice de Religion, je soupirois après ces belles exhortations de ces grands & excellens Pasteurs que j'avois quittés à Londres, & fesois une ferme résolution de ne m'exposer jamais à être dans des lieux où il n'y en eût point, dussé-je être réduit à n'avoir que la moitié de ma vie.

Monsieur Parker ne manqua donc point huit ou dix jours après son retour de m'envoyer un valet comme il m'avoit promis avec une lettre la plus obligeante du monde par laquelle il me marquoit, que le navire qui me devoit porter étoit arrivé au devant de la maison de Monsieur le Gouverneur ; que ces Messieurs & lui avoient très expressément chargé ce Capitaine d'avoir bien soin de moi pendant le voyage, me manda encore la lettre que son Excellence écrivoit pour moi à Monsieur l'Evêque de Londres [83], & la convention de Monsieur Vormmeley pour la vente de ses terres.

Finalement le 15 de Mars à deux heures après midy, je vis arriver quatre Maletots avec le Chirurgien du vaisseau. Le Capitaine voguoit lentement en nous attendant, car il faisoit fort peu de vent lorsqu'il les envoya. Dans un moment ils eurent mis dans le bateau ce que j'avois, & ainsi je partis avec une grande satisfaction de cet endroit où je m'ennuyois étrangement. Mais ma joie ne fut pas longue, car dès que nous fûmes environ demi lieuë dans la Mer, il se leva un vent impétueux qui nous mit dans un si grand péril que je puis dire ne m'être pas encore trouvé dans un semblable. Nous vismes en état de faire le jet de ce que j'avois pour décharger le batteau, les ondes nous couvrant de par tout. Lorsque nous

---

[83] L'évêque de Londres était à cette date Henry Compton qui avait été suspendu par Jacques II

apperceumes un vaisseau qui alloit devant nous. J'avois quelques armes à feu que je fis tirer si souvent qu'il nous attendit. Nous l'abordâmes à l'entrée de la nuit ; le Chirurgien s'étant jeté dedans me tendit une corde, & j'y montai aussi. Mon valet avec les matelots restèrent pour sortir mes hardes, mais ils n'eurent le temps que de monter un petit tonneau rempli de Tabac que j'apportois pour faire des présens, car la tempête s'augmenta tellement qu'à peine purent-ils se sauver eux-mêmes. Ils attachèrent le batteau assez mal, car il faisoit fort froid, & ainsi je vis en grand péril tout ce qui me restoit dans le Monde. J'avois mis dans mes coffres tout ce qui étoit de quelque considération, & ce que je déplorais encore plus, c'est que mon argent y étoit, & il me falloit bailler quarante écus au Capitaine pour notre passage. J'avois baillé tout celui que je portois sur moi pour payer le loüage de la chambre sans qu'il m'eut demeuré tant seulement un sol, de sorte que je puis dire que tout ce qui me restoit, en comptant même la chemise que j'avois sur le dos n'auroit sceu valoir une pistole.

Le maître de ce vaisseau me voyant ainsi mouillé me fit mettre sur son lit, où je n'eus pas demeuré deux heures que le Chirurgien qui m'étoit venu prendre avec mon valet entrèrent dans cette chambre tous effrayés, & me dirent que nous étions perdus sans ressources, qu'on ne voyoit plus la proue du navire, & que l'eau étoit à la porte de la chambre de poupe où j'étois. Pour moi sans prendre la curiosité d'aller voir le danger, je me mis à genoux sur mon lit & attendois en priant Dieu le moment que nous devions être submergés. Les matelots avoient jetté cette ancre de la proue si à la hâte à cause du grand orage qu'ils ne lui avoient pas assez donné de corde, & le vent venant de la poupe, l'ancre tenant ferme dans la terre le vaisseau étoit renversé si Dieu ne nous eût guaranti comme par miracle, car il permit que la corde de l'ancre se rompit, & notre navire se redressa peu à peu.

On avoit fait le jet de tout ce qui s'étoit trouvé depuis le milieu jusques à la proue. On nous vint donc avertir que nous étions hors de danger, mais que le bateau où étoient mes hardes étoit brisé contre le vaisseau, & que tout étoit perdu. Cette nouvelle me fit recevoir la conservation de ma vie avec peu de joie, je me voyois comme nud destitué de tout parmi des étrangers, de sorte que outre que j'étois tout mouillé, j'eus une des plus méchantes nuits que j'aye eu de ma vie. J'enviay très sérieusement la martire du bienheureux Monsieur de Lys, mon voisin de demi lieue, qui fut décapité, pendant que j'étois caché dans Marseille, afin d'avoir été délivré pour un coup d'une si longue suite de misères, & d'un si insupportable exil. Le jour commença à paroitre pendant que j'étois dans ces funestes pensées, & les matelots ayant perceu notre vaisseau à l'ancre à demi lieue de là, ce Capitaine nous prêta son bateau & nous y fit conduire.

Il s'y rencontra deux Marchands anglois avec le Capitaine. Lorsqu'ils eurent appris mon malheur, ils exercèrent l'hospitalité envers moi, & me voyant tout mouillé depuis le jour précédent, les uns me baillèrent des habits, les autres une chemise, les autres des bas, & m'ayant ainsi séché, on me fit mettre sur un lit. J'étois assurément dans une grande désolation ; sur les deux heures un des matelots étant monté sur le mât de la proue pour étendre une voile cria qu'il voyoit un bateau qui flottoit sur les ondes. Le Capitaine vint d'abord m'avertir de cette nouvelle, me dit de prendre courage, & ayant commandé qu'on tournât le navire de ce côté, demi heure après nous le joignîmes, & on le tira dans le vaisseau. Il se trouva si fort qu'il avoit résisté à la tempête sans être rien endommagé ; & toutes mes hardes s'y rencontrèrent sans qu'il s'en fût perdu aucunes. Les matelots avoient dit qu'il s'étoit tout brisé, pour s'excuser de ce qu'ils ne l'avoient pas bien attaché. Cela me donna assurément une grande consolation. Et me fit admirer quelque chose de bien surprenant dans cette aventure, de voir premièrement que Dieu permît que l'orage redoublât pour empêcher qu'on ne sortît ce que j'avois dans le bateau, parce qu'il auroit été jeté dans la mer en faisant le jet de tout ce qui étoit proche de la proue, & on ne le pouvoit mettre que là. En second lieu qu'il aye fait que la corde qui tenoit l'ancre malgré sa force & sa grosseur se soit rompüe pour nous faire sauver du naufrage. Que ce bateau en dépit d'une des plus rudes tempêtes que j'aye encore veu se soit conservé dix-huit heures sur les flots sans être submergé, & finalement que de six navires que nous étions en passant le cap il soit venu paroître devant le nôtre à l'exclusion des cinq autres, car s'il avoit été rencontré par un de ces vaisseaux nous ne le voyons jamais. Je jugeai donc que Dieu me vouloit faire passer par toutes les épreuves & les degrés de la calamité, & qu'ayant exercé ma constance par les souffrances, les afflictions & les naufrages il vouloit encore me faire ressentir celle de la dernière indigence pour voir si ma patience n'y succomberoit point. Or comme par sa providence il m'a tiré de toutes les autres par les consolations qu'il m'a envoyé, il m'a de même délivré de celle-ci & comme elle est la plus sensible principalement à une personne de quelque naissance qui a de la pudeur & de la honte, & qui se laisseroit mourir plutôt que d'oser rien demander, aussi a-t-il permis qu'elle n'aye eu que dix heures de durée.

Il ne nous arriva rien d'extraordinaire pendant nôtre Navigation. Nous eûmes des rudes tourmentes ; nous étions dans le mois de Mars il ne faloit pas s'en étonner. Nous fîmes unze cens quarante lieuës sans faire aucune rencontre ; mais étant à soixante lieuës de la première terre de l'Europe, nous vîmes deux vaisseaux sur nôtre passage. Nous étendîmes notre pavillon et eux le leur, & connûmes qu'ils étoient François. Notre Capitaine qui étoit bien aise de sçavoir si nous étions encore loin de la terre me pria de leur dire que s'ils vouloient venir dans notre bord il leur donneroit du Tabac. Ils s'y accordèrent très volontiers & nous en changèrent même pour du vin de Navarre, car ils étoient de Bayonne & alloient pêcher des balenes dans la Norvègue, ce qui ne nous vint point mal, car nôtre cidre avoit fini depuis quatre jours. Je fus fort bien traité pendant ce voyage ; je trouvai un aussi honnête homme de Capitaine que j'aurois pu souhaiter. Nous étions mal couchés, mais il ne pouvoit faire davantage que de me quitter son lit. Nous ne goutâmes point de viande salée. Il avoit fait embarquer quatre Coqs d'Inde, cent Poules ou Chapons, & vingt cinq Cochons, si bien que nous ne mangeâmes que de viande fraiche.

Le vent d'Orient se mit en campagne, dès que les François nous eurent quittés, & comme il nous étoit entièrement contraire, nous demeurâmes trois semaines avant d'arriver à Douvres. Comme je vis qu'il continuoit toujours, & que nous naviguions fort pesement parce que le navire étoit fort chargé, je me fis mettre à terre. C'étoit un Vendredi, & je souhaitois d'arriver à Londres le Dimanche matin ou le Samedi au soir, afin de m'y rencontrer avant le prêche. Attendant qu'il passât quelque barque de poisson pour m'y mettre afin d'aller plus vite, je demandai s'il n'y avoit point de François. On m'indiqua un Capitaine qui y étoit depuis deux jours ; je l'allai voir, il me reconnut d'abord pour m'avoir vu à Marseilles pendant que j'y étois. Je lui demandai des nouvelles de France. Il me dit que le Roi avoit établi des Commissaires pour tirer les revenus des biens de ceux qui avoient fuy, & avoit fait une déclaration qui portoit que si on n'y étoit retiré dans le mois de Mars prochain, ils seroient confisqués. Je lui répondis que puisque ce n'étoit que sous la condition d'abjurer la Religion, je la trouvois fort inutile, ne pouvant m'imaginer qu'il s'en put trouver aucun qui fut assez lâche pour faire une retraite si honteuse & si criminelle, & qu'ayant commencé par l'esprit il voulut ainsi malheureusement finir par la chair. Ayant veu alors des barques de pêcheurs qui alloient à Londres, car nous nous promenions sur le rivage, je le quittai me mis dans une & arrivai suivant mon désir le Samedy septième mai 1687. Or comme suivant toutes les apparences, j'aurai borné mes courses pour quelques mois, je finirai ce petit traité après avoir fait quelques réflexions sur ce que j'ay écrit.

On conte douze cens lieues depuis la dernière terre de l'Amérique jusques à la première d'Angleterre, mais je ne fais pas tant consister la longueur du chemin à cette distance, comme en ce qu'il le faut faire sans trouver aucune retraite. On rencontre bien quelquefois Neuf-Island qui est une isle plus proche de l'Amérique que de l'Europe, c'est là où l'on pêche toute la molüe que l'on mange en France & en Angleterre, mais nous l'avons toujours manquée.

Comme j'ai trouvé des avantages dans la Virginie qui ne se rencontrent pas dans les autres colonies dépendantes de l'Angleterre, j'ai creu que je les devois énoncer en particulier. Ce sera en peu de mots parce que j'en ay parlé cy-devant en général. J'ai donc trouvé qu'il y a cinq considérations qui me font préférer la Virgine à la Caroline, & quatre qui me la font préférer à ces autres Colonies du Nort. La première pour ce qui est de la Caroline c'est le froment qui n'y peut pas réüssir à cause de la grande chaleur. La seconde c'est les Moutons qu'on n'y peut pas élever par la même raison, & dont la laine seroit encore plus nécessaire que la viande. La troisième qu'ils sont privées du Tabac, qui est un revenu très considérable dans la Virgine. La quatrième qu'ils le sont de même du commerce, n'y ayant pas aparence que de long temps ils ayent aucunes denrées pour charger un Vaisseau, & dans la Virgine ils en chargent régulièrement tous les ans cent cinquante, & par ce moyen peuvent envoyer & recevoir des nouvelles de tout l'Univers. La cinquième c'est la santé, car le païs est trop plat pour qu'ils puissent avoir des bonnes eaux. Qu'on ne soit point étonné si je parle avec tant d'affirmation pour cette dernière raison, car je ne conseillerois pas aux François de s'habiter dans la Virgine le long de la mer, ni dans les Provinces du midi bien que plus reculées de quatre degrés, quoiqu'il n'y manque pas des terres à vendre, & à aussi bon marché que dans les provinces du Nort, & que je suis obligé de dire en conscience que j'y ai veu les habitans porter fort mauvais visage & j'y ai rencontré peu de vieillards.

Et pour ce qui est des Colonies du Nort, la première c'est de même celle du Tabac dont ils sont privés ; la seconde c'est celle du vin dans la Virgine, s'en pouvant recueillir une très grande quantité & fort bon, & là estant plus froid qu'en Angleterre il aura de la peine à meurir. La troisième qu'il ne faut employer aucun temps en esté pour amasser des provisions, afin de nourrir le bétail en hiver, ni bâtir aucunes Escuries ni greniers à foin. La quatrième c'est que dans la Virgine on peut faire travailler ses esclaves & valets tout l'hiver sans perdre une journée, & là il faut qu'ils demeurent trois ou quatre mois sans rien faire, à cause de la neige et de la glace.

Je me trouve encore engagé de mettre en avant les raisons qui me font préférer les Provinces de Rappahannak & d'Estafort aux autres de la Colonie. J'y en trouve trois : l'agréement, la santé et la fertilité. Pour l'agréement, suivant mon humeur, je juge qu'un païs qui est composé de plaines et de Colines d'où découlent des fontaines & des ruisseaux freches en Eté & chaudes en hiver, est plus plaisant & agréable qu'un qui est entièrement plat, & ce sont ces mêmes Colines qui contribuent à la santé par le bon air, à cause de leur élévation des bonnes eaux qu'elles produisent & des vignes qu'on peut planter dans ces penchans, le vin n'étant jamais bien naturel dans les plaines. Je m'aperceus aussi en y voyageant que les habitans y ont beaucoup plus d'embompoint qu'ailleurs, & qu'ils ont un teint vif & animé & j'en voulus sçavoir la raison, on m'en a dit une que je trouvai fort plausible, qui est que le long de la mer & des fleuves, tant qu'ils conservent quelque salure à cause du reflux, les habitans de ces endroits sont rarement exempts de fièvres pendant les grandes chaleurs qu'ils appellent maladies du païs ; mais que comme ils perdent leur salure, qui est environ à vingt lieues de la mer, & justement en entrant dans la Comté de Rappahannak, ceux qui habitent de là en haut n'y sont nullement sujets. Monsieur Wormeley me dit de plus que lorsqu'il avoit acheté des esclaves chrétiens, il les envoioit pendant les mois de Juillet, Aougst & partie de Septembre aux plantations qu'il a dans la même Comté, où ils se portent fort bien, & s'il les retenoit chez lui bien que beaucoup plus sain que Point Comfort où j'ai passé l'hiver, ils étoient malades pendant ces trois mois. Pour la fertilité j'y ai trouvé la terre sans comparaison meilleure et plus grasse qu'ailleurs, comme j'ai dit ci-devant. J'y en pourrois ajouter un quatrième qui est que comme j'estime que tous les François aiment beaucoup mieux le vin que la bière ou le cidre, j'ai trouvé dans ces deux provinces six fois plus de vignes qu'ailleurs. Ce sont des grandes Comtés, celle d'Estafort n'a point de limites au Nort & l'Occident comme j'ay dit ci-devant, & celle de Rappahannak n'en a point à l'Occident.

Dès que j'ai eu mis le pied dans l'Europe, j'y ai trouvé vingt fois plus de François Réfugiés qu'il n'y avoient il y a environ treise mois que j'en partis, ce qui m'a donné une grande consolation, & a effacé l'horreur & le scandale que m'avoit causé tant de cheutes que j'avois veu étant encore en France. C'est aussi ce qui m'oblige de donner cette petite Relation au public, & il me semble que si je pouvois contribuer à leur établissement dans le plus beau & le meilleur païs que j'aie encore vu, je mourrois après cela content.

Je n'ai séjourné qu'une quinzaine de jours dans Londres, & j'entendois dire qu'il en arrivoit du moins deux cens régulièrement tous les jours, ce qui me fait croire que c'en est de même dans tous les autres endroits. J'espère donc que Dieu fera la grâce à tous ceux qui sont encore dans notre Roiaume de reconnoistre leur faute, & qu'ils en viendront de mesme faire amende honorable dans ces terres de réformation, après quoi il ne faut pas qu'ils se mettent en peine d'un établissement, car je soutiens que dans le païs dont je viens de parler, il y auroit des terres non seulement pour tous ceux qui sont sortis, mais encore pour tous ceux qui sont encore en France, qu'on a fait abjurer par force, & tout parmi les Chrétiens, à un escu l'acre, les plus chères &

les meilleures, & vingt sous l'acre le long du fleuve d'York, & si on est nombreux & qu'on veuille aller un peu plus loin, on en donnera cinquante ; chaque personne & de très bonne terre.

Il m'est tombé entre les mains une copie bien scélée & signée des conventions & propositions de ces Messieurs qui ont des terres dans la Comté d'Estafort, que j'ai jugé à propos d'insérer ici. On y peut ajouter une entière confiance, car je connois celui qui l'a signée, qui est fort honnête homme. Je n'y mets pas celles que m'a donné Monsieur Wormmeley parce qu'elles sont en anglois, & je n'ai trouvé personne qui les aye sceu traduire. J'ai un grand désir de retourner dans ce païs, & tout ce qui me pourroit obliger à rester c'est que je me sens grandement foible ; mais qu'on ne se rebute point pour cela, je me donnerai l'honneur d'escrire à Monsieur le Gouverneur & à ces autres Messieurs, je prendrai la liberté de supplier Monsieur l'Evêque de Londres d'écrire aussi, & si Dieu me fait la grâce de recouvrer un peu de mes forces je les accompagnerai. Je les avertis cependant que les vaisseaux partent presque tous les mois d'Aougst de Septembre & d'Octobre.

On vient de me dire tout présentement une nouvelle qui m'a beaucoup réjoüi, qui est que presque tous ceux de la Religion de mon voisinage, où il y en avoit beaucoup sont sortis et arrivés en Suisse, & que la ville de Dye qui n'est qu'à cinq lieues de chez moi il n'y a reste que trente habitans, tous les autres s'étant évadés. Ce qui m'oblige d'ajouter ici, comme il n'y manque pas sans doute des gens de condition, qu'un homme de qualité qui arriveroit dans le païs d'où je viens de parler, sans même prendre des terres en don s'il ne veut, peut fort bien s'établir pourveu qu'il aye trente ou quarante pistoles et deux valets. Les maisons ne coûtent presque rien de bâtir que quelques clous, des escuries on n'en a pas besoin. Il peut acheter en arrivant cent acres de terre il y en a pour faire un beau domaine, qu'il aura pour huit tonneaux de

Tabac qu'il recueillera, & dans deux années il les payera facilement, de la moitié du Tabac qu'il recueillera, & l'autre moitié de ce Tabac lui serviroit pour acheter des meubles, & ce qui lui sera nécessaire, car c'est l'argent du païs. Celui qu'il auroit seroit pour se nourrir quelques mois de la première année suivant le temps qu'il y arriveroit, & pour acheter quelque bétail. Les bois y sont faciles à défricher, mais sans prendre cette peine il ne faut qu'acheter les fons dans les plantations que les Sauvages occupoient autrefois où il y en a la moitié qu'on n'auroit qu'à mettre la charrüe dedans, & ce sont les meilleures de tout le païs.

Pour ce qui est des artisans & païsans je ne doute pas que la plus grande difficulté ne soit celle de n'avoir pas de quoi payer leur passage, car s'ils y étoient une fois asseurément, ils n'auroient qu'un peu de peine la première année, après quoi ils subsisteront très bien, mais comme je connois beaucoup de ces maîtres de vaisseau, j'estime que je leur pourrai faire rabattre un peu de ces vingt escus qu'ils ont accoutumé de prendre par teste, & possible en leur en baillant la plus grande partie pour le payement des vivres, pourrois-je les obliger à atendre le reste d'une année & l'on le leur payeroit en tabac du premier qu'on recueilleroit.

FIN

Achevé d'imprimer ce 7 juillet 1687.

XV

PROPOSITIONS

POUR LA VIRGINIE

Messieurs les Propriétaires de la terre scituée proche la Comté de Stafford en Virgine, dans le trente neuviéme degré, entre le Sudwest & le Nordwest, dependantes de la Riviere nommé Cittoquan Crecke & de la ville qu'on a commencé d'y bâtir, appelée Brenton (pour l'encouragement des personnes qui ont dessein de se transporter dans ce pays là, & y faire un établissement solide, font les propositions suivantes : à sçavoir :

Aux premiers qui se presenteront (à jamais pour eux & leurs heretiers) ces Messieurs vendront cent acres de terre assez prés de ladite Ville pour batir une maison, pour le prix & somme de dix livres Sterlings, argent contant, & quatre Schelins Sterlins pour un rente tolérable, moyennant quoi ils seront entierement propriétaires desdites terres à perpetuité.

L'on peut assurer ces personnes que ladite terre est extremement saine, bonne & tres fertile, produisante toute sorte de graines comme du Bled, Orges, Avoines & autres, comme en Europe, Vignes & toute sorte de bon fruit, & les eaux se trouvent fort excellent.

L'on donnera la preference de choisir pour la scituation de leur mesterie & maison pour le susmentioné prix aux premiers seulement qui se transporteront pour y faire leur établissement, car on pretend à l'avenir de faire un tout autre prix plus cher pour la vente desdites terres.

Et pour un meilleur encouragement aux familles qui se présenteront des premiers qui ne voudront, ou ne pourront avancer aucun argent contant, & qui désirent d'estre assistez par ces Messieurs, ils offrent auxdites personnes, à eux & leurs heritiers, cent acres de terre pour faire une mesterie, &

une acre dans ladite ville pour leur maison, & de fournir à chaque famille quinze boisseaux de Bled sarrazin pour leur subsistance la première année, des clous & ferrures à suffisance pour bastir ladite maison, qui sera de 26. à 28. pieds de longueur, & de 14. à 16. pieds de largeur, à raison de quatre escus sterlins de rente annuelle, pour le tout.

Et si l'on se trouve trop chargé de cent acres, ou que l'on n'en ait pas assez, on leur baillera comme ils voudront, en payant à proportion soit en rente ou en rente aux prix & conditions que dessus.

Londres ce 30 May 1687, de la part des propriétaires.

NIC. HAYWARD.[84]

---

[84] Sur Nicholas Hayward, voir note 9, *Huitième Voyage*. Il s'agit probablement ici de la propriété que Hayward avait acheté de Lord Culpeper, après avoir formé une compagnie avec Richard Foote, Robert Bristow et George Brent de Woodstock en Virginie, le 10 janvier 1686. Le 10 février de la même année, il avait reçu du roi l'autorisation de bâtir une ville sur cet emplacement. Cette ville devait se nommer Brent town ou Brenton et les habitants devaient y avoir le droit d'y pratiquer leur religion en toute liberté, ils recevaient en effet « the full exercice et their religion without being prosecuted or molested upon all penal laws or other account for the same ». On peut voir le prospectus de Hayward qu'il se proposait d'attirer des colons français. L'entreprise eut le sort de tant d'autres et Brenton resta en nom, elle n'est aujourd'hui qu'un souvenir. Voir sur l'histoire de ces entreprises, *Landmarks of Old Prince William*, Richmond, 2 vol., 1924.

OUVRAGES CITES

ANONYME. *A Frenchman in Virginia. Being the Memoirs of a Huguenot Refugee in 1686*. Privately printed, 1923.

ANONYME. *Landmarks of Old Prince William. A Study in Northern Virginia*, Richmond. Privately printed, 1924, 2 vols.

BAIRD (Charles W.). *History of the Huguenot Emigration in America*, New York, 1885, 2 vols.

— *Histoire des Réfugiés huguenots en Amérique*. Traduit de l'anglais par A.-E. Meyer et De Richemond, Toulouse, 1886.

BEVERLEY (Robert). *The History and Present State of Virginia*, London, 1705. Traductions françaises à Amsterdam et à Paris la même année.

BRUCE (Philip Alexander). *Economic History of Virginia in the Seventeenth Century*, New York, 1896, 2 vols.

— *Social Life in Virginia in the Seventeenth Century*, Richmond. Printed for the author, 1907.

CHINARD (Gilbert). *Les Réfugiés Huguenots en Amérique*, Paris, 1925.

HAAG (Eugène et Émile). *La France protestante ou vies des Protestants français qui se sont fait un nom dans l'histoire*, Paris, 1846-59, 10 vols.

HENING (William Walter). *Virginia Statutes at Large*, Richmond, 1812.

HIRSCH (Arthur H.). *The Huguenots of Colonial South Carolina*, Duke University Press, 1928.

JONES (Hugh). *The Present State of Virginia*... London, 1724.

O'BRIEN (Louis). *Innocent XI and the Revocation of the Edict of Nantes*, Berkeley, California, 1930.

ROCHEFORT. *Histoire naturelle et morale des Antilles*, Rotterdam, 1658-1681.

SAINT-SIMON. *Mémoires*, éd. Boislile, Paris, 1879.

SMILES (Samuel). *The Huguenots, their Settlements, Churches and Industries, in England and Ireland.* With an appendix

relating to the Huguenots in America, by G. P. Disosway, New York, 1868.
STANARD (Mary Newton). *Colonial Virginia, its people and customs*, Philadelphia, 1917. *Virginia Magazine of History and Biography*.
WEISS (Charles). *History of the French Protestant Refugees*, Edinburgh and London, 1854.
WILSTACH (Paul). *Tidewater Virginia*. The Bobbs-Merrill Company, 1929.

TABLE DES FIGURES

Index des noms de lieux et de personnes

TABLE DES MATIÈRES

Cet ouvrage a été composé en police Garamond corps 12, une police de caractères créée vers 1532 par le célèbre fondeur Claude Garamond.
Claude Garamond, né au début du XVIe siècle apprit son métier de fondeur de caractères chez Antoine Augereau, fondeur et imprimeur protestant. Garamond grava, pour Henri Estienne, les caractères grecs commandés par François Ier et maintenant connus comme les "Grecs du Roi".
Garamond a été beaucoup copié et imité, et son travail et son art ont beaucoup contribué à populariser les caractères "romains" dans une imprimerie à l'époque dominée par le "gothique".

Imprimé en Espagne
pour les Editions Ampelos
Au 4ème trimestre 2008